春風浩蕩辭舊歲
朝霞絢麗迎新年

春联挥毫必备

赵孟頫行书集字春联

程峰 编

上海书画出版社

《春联挥毫必备》编委会

主编
王立翔

副主编
程峰

编委
（按姓氏笔画排序）

王立翔　王剑　吴志国　吴金花
沈浩　沈菊　张杏明　张恒烟
张忠　郑振华　程峰　雍琦

出版说明

『爆竹声中一岁除，春风送暖入屠苏。千门万户曈曈日，总把新桃换旧符。』王安石的《元日》诗描绘了一幅宋代的春节风俗图：燃爆竹、饮屠苏酒、换桃符。然而，早在一千年前的五代后蜀孟昶那里，桃符已以一副书为『新年纳余庆，嘉节号长春』的春联悄悄改变了形式与内涵：鲜艳的红纸取代了长方形桃木板，吉祥的联语取代了『神荼』、『郁垒』的名字或画像，其寓意也由原来的驱邪避灾转向了求安祈福。春节是我国农历年中第一个也是最重要的传统节日，春联在辞旧岁迎新春的同时，也渗进了农业社会人们朴素的生活理想：国泰民安、人寿年丰、家庭和睦、事业顺利。春联对仗的联语不仅是文字的精妙组合与书法的多样呈现，更是人们美好生活祈向的承载。这些生活祈向，虽然穿越古今，却经久不衰，回荡在一代代人的内心深处。作为这些生活祈向的载体，作为从古代派往现代的使者，春联的命运也同样历久弥新。无论大江南北、农村城市，抑或雅俗贵贱、穷达贫富，在喜气盈门的春节里，都不能没有春联的表达与塑造！

我社出版的『春联挥毫必备』系列，集名家名帖之字，成行气贯通之联。一家一帖集成一书，其内容又以类相从编排，不仅从形式到内容上有力地保证了全书的一致性与连贯性，更便于读者有针对性地、分门别类地欣赏、临摹、创作之用。可以说，一编握手中，一切纳眼底，从书法的字体书体，到文字的各种情感表达，及隐藏其后的对生活的深刻理解与美好祈向，都能在本书中找到满意的答案。

上海书画出版社

目录

行业春联

爱国春联

生肖春联

横披

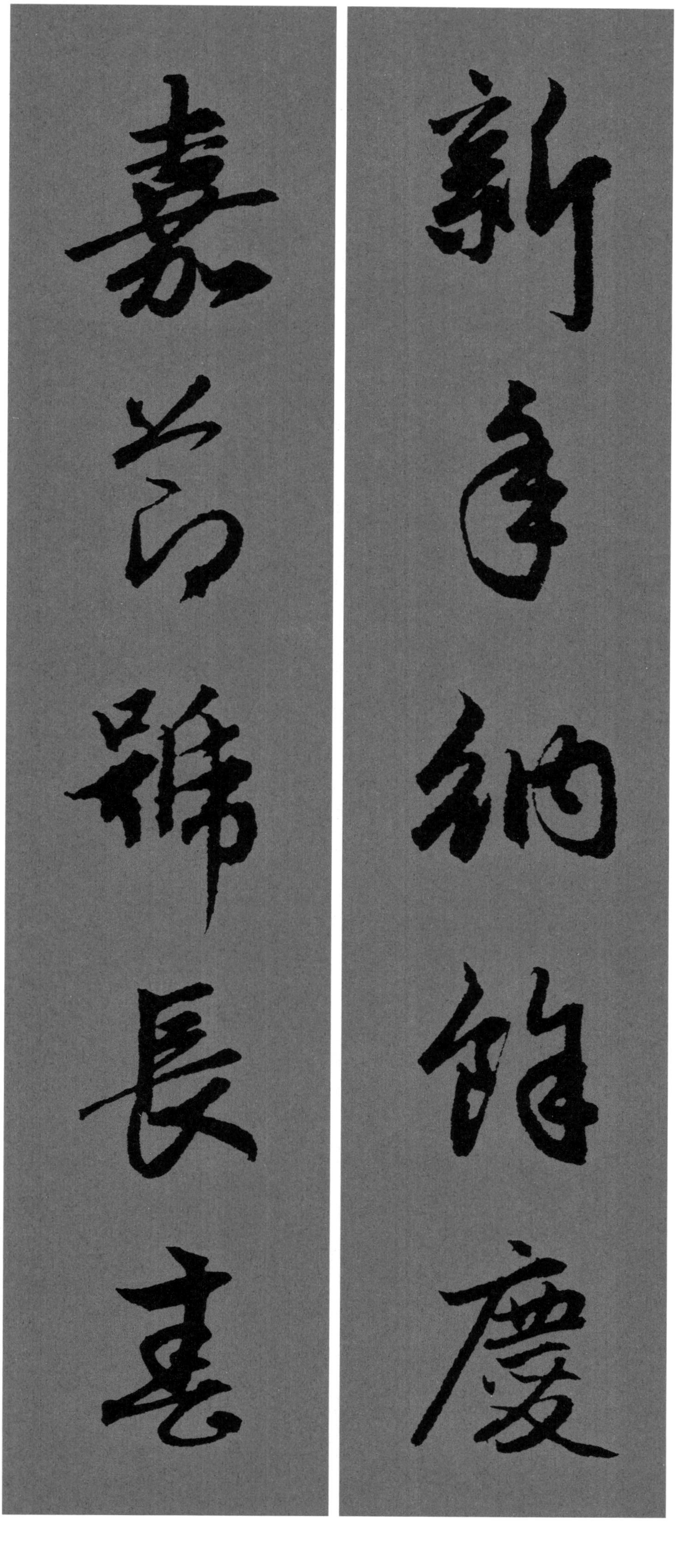

上联—新年纳余庆
下联—嘉节号长春

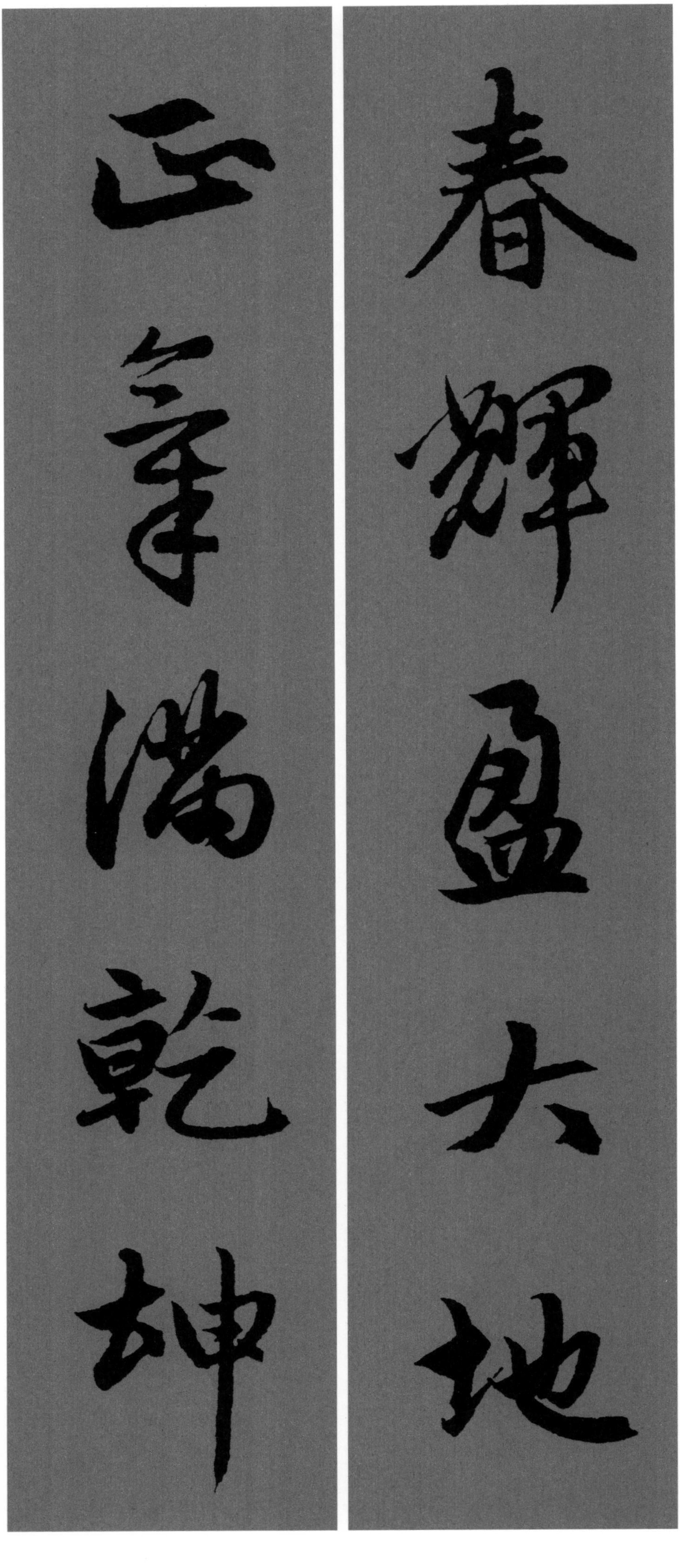

上联一 春辉盈大地
下联一 正气满乾坤

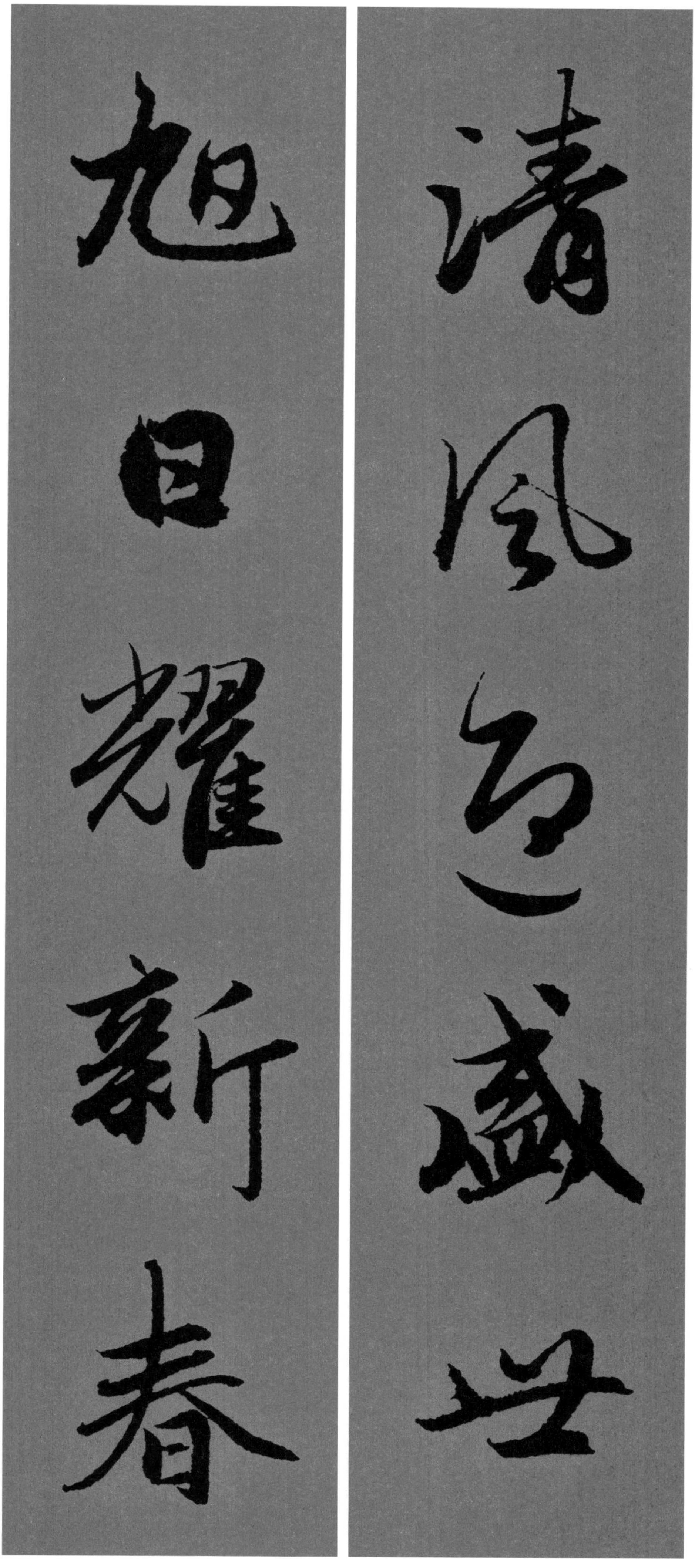

上联—清风迎盛世
下联—旭日耀新春

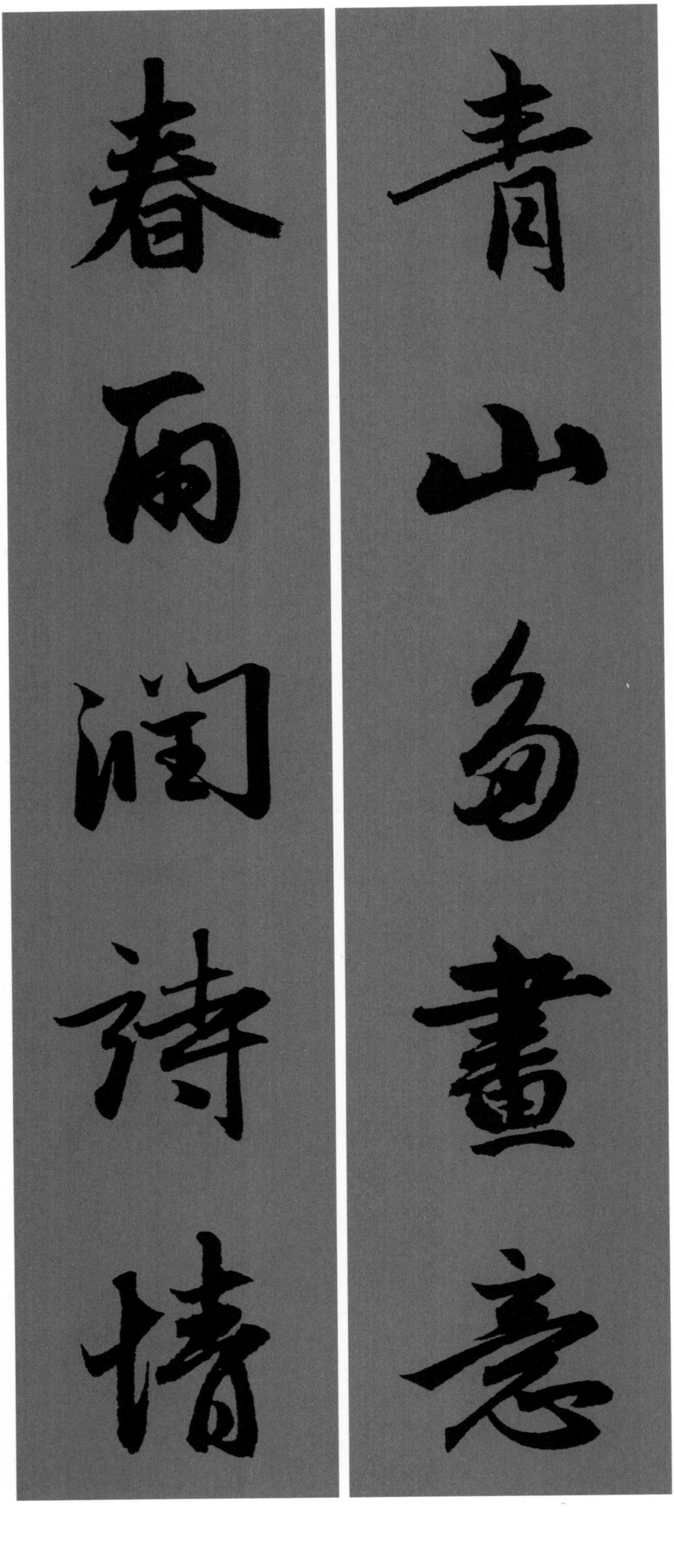

上联—青山多画意
下联—春雨润诗情

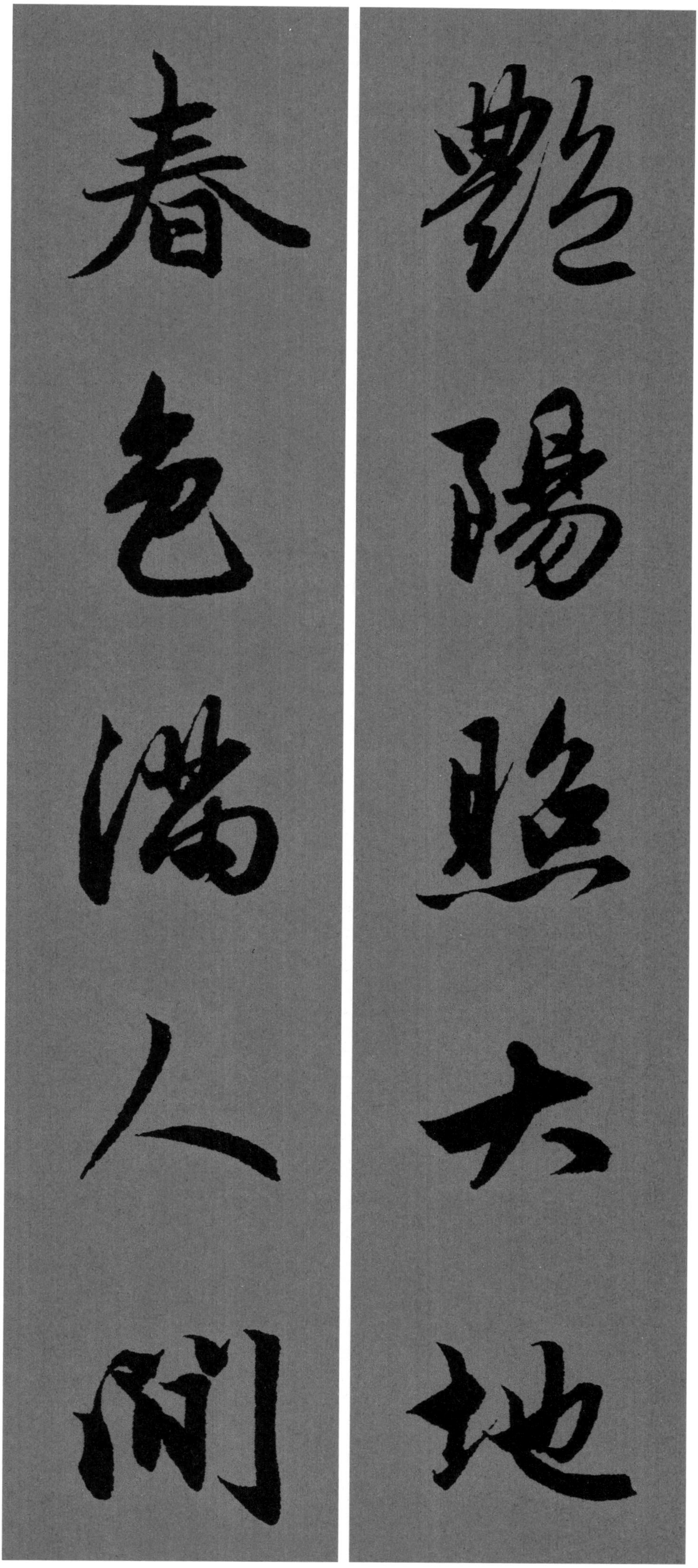

上联 — 艳阳照大地
下联 — 春色满人间

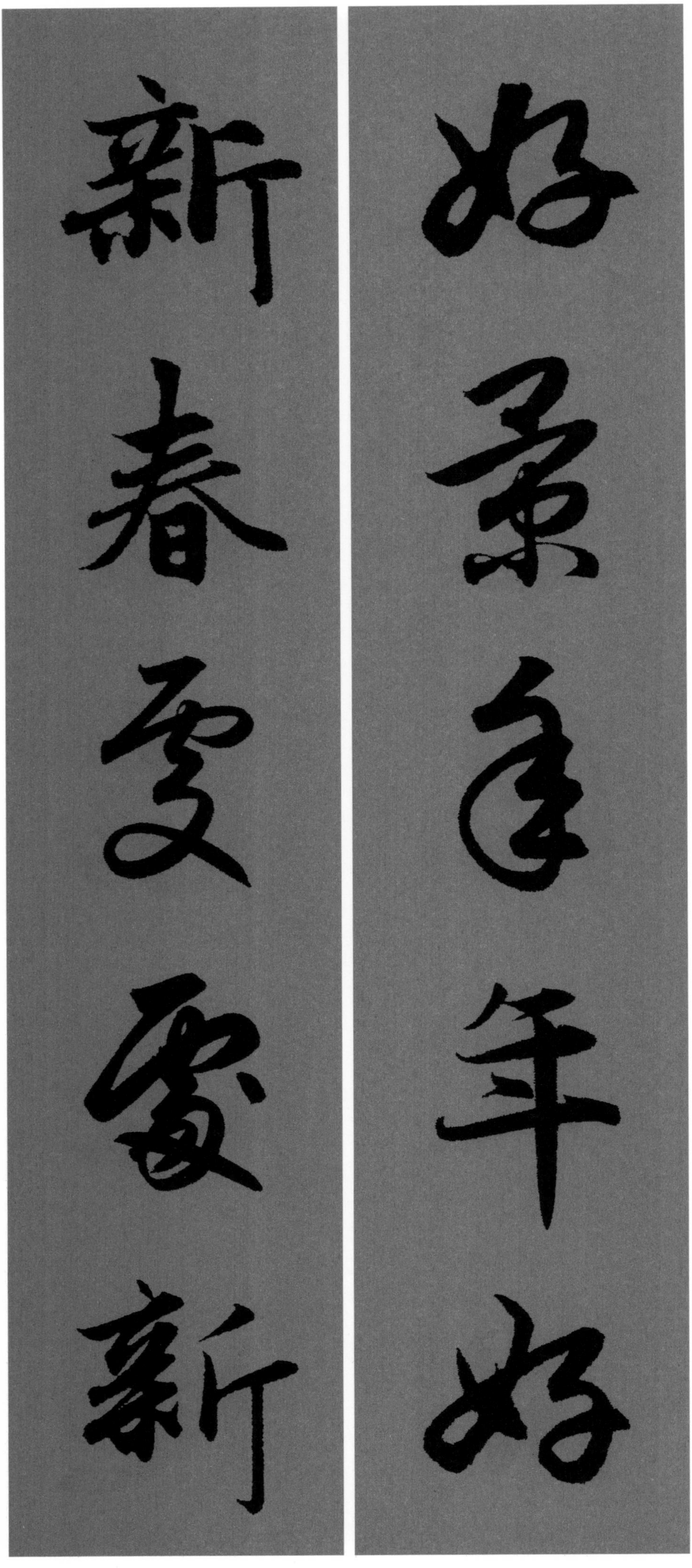

上联—好景年年好
下联—新春处处新

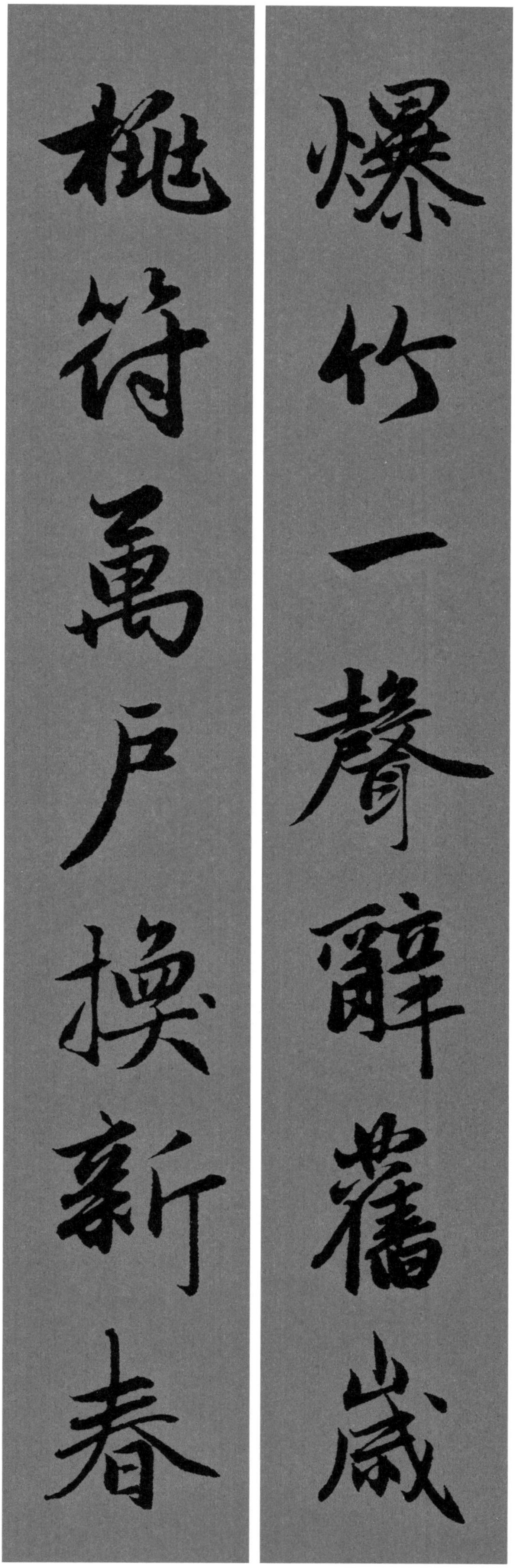

上联 — 爆竹一声辞旧岁
下联 — 桃符万户换新春

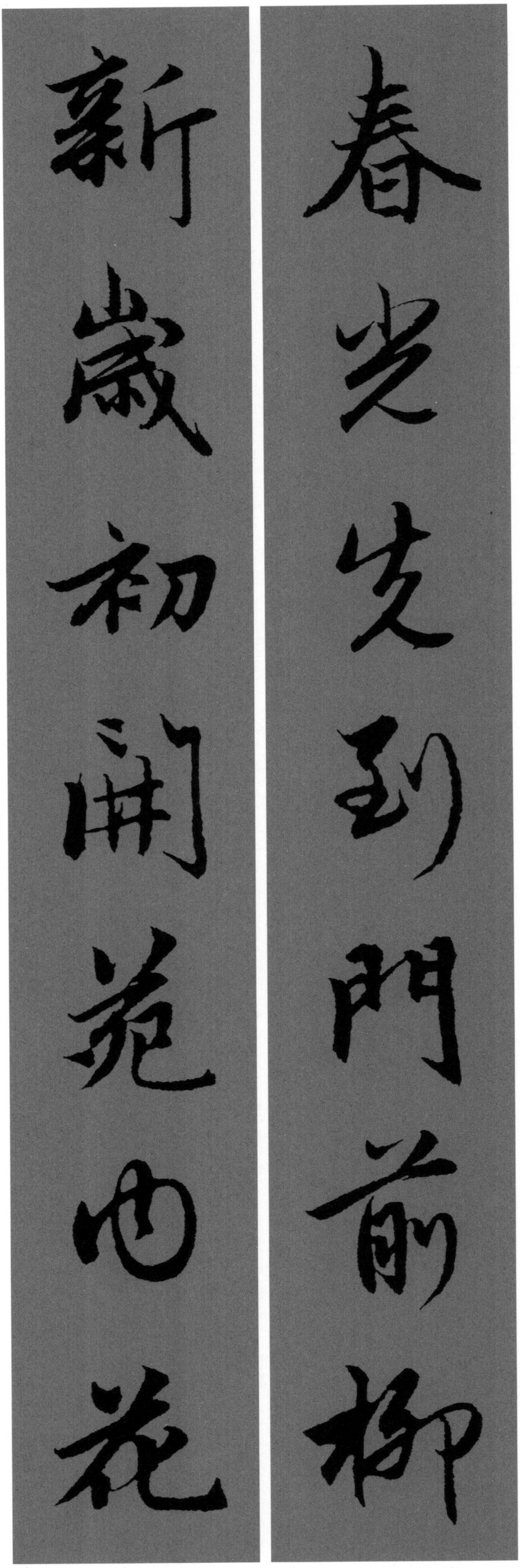

上联—春光先到门前柳
下联—新岁初开苑内花

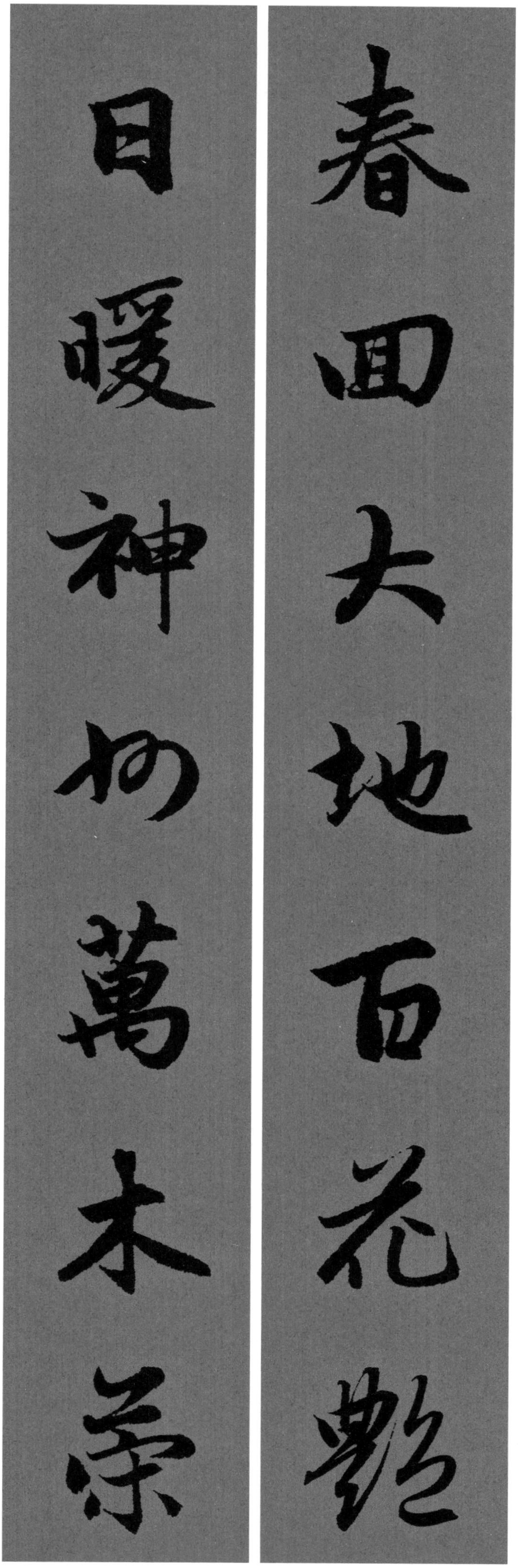

上联 — 春回大地百花艳
下联 — 日暖神州万木荣

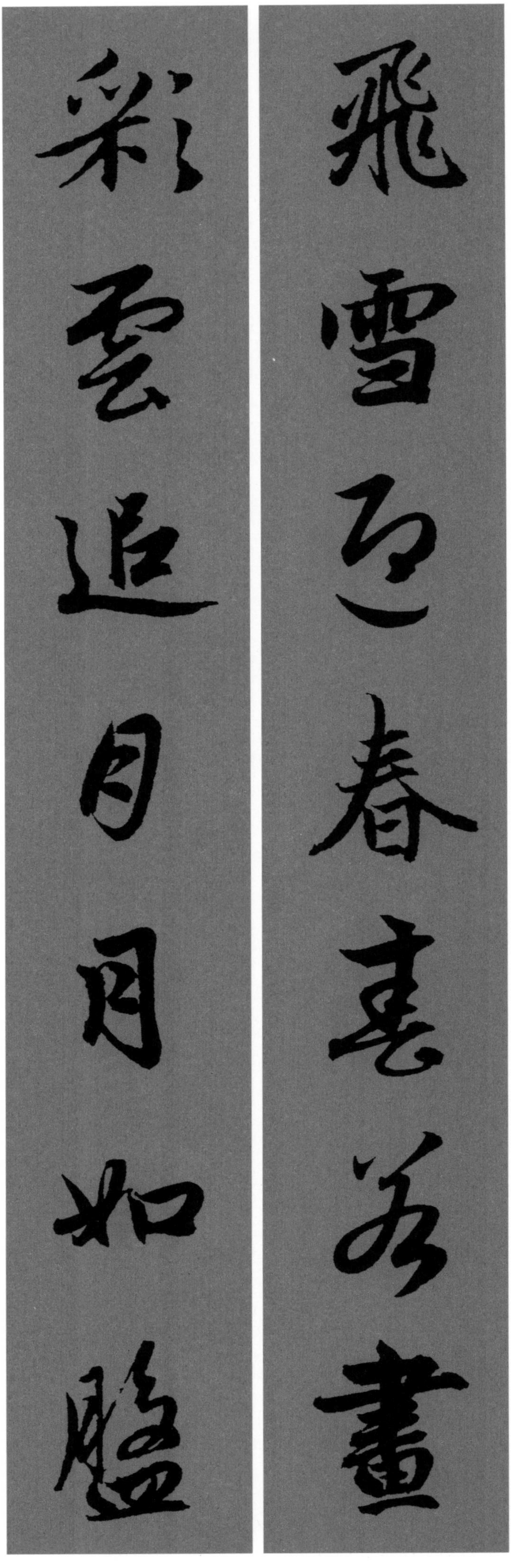

上联　飞雪迎春春若画
下联　彩云追月月如盘

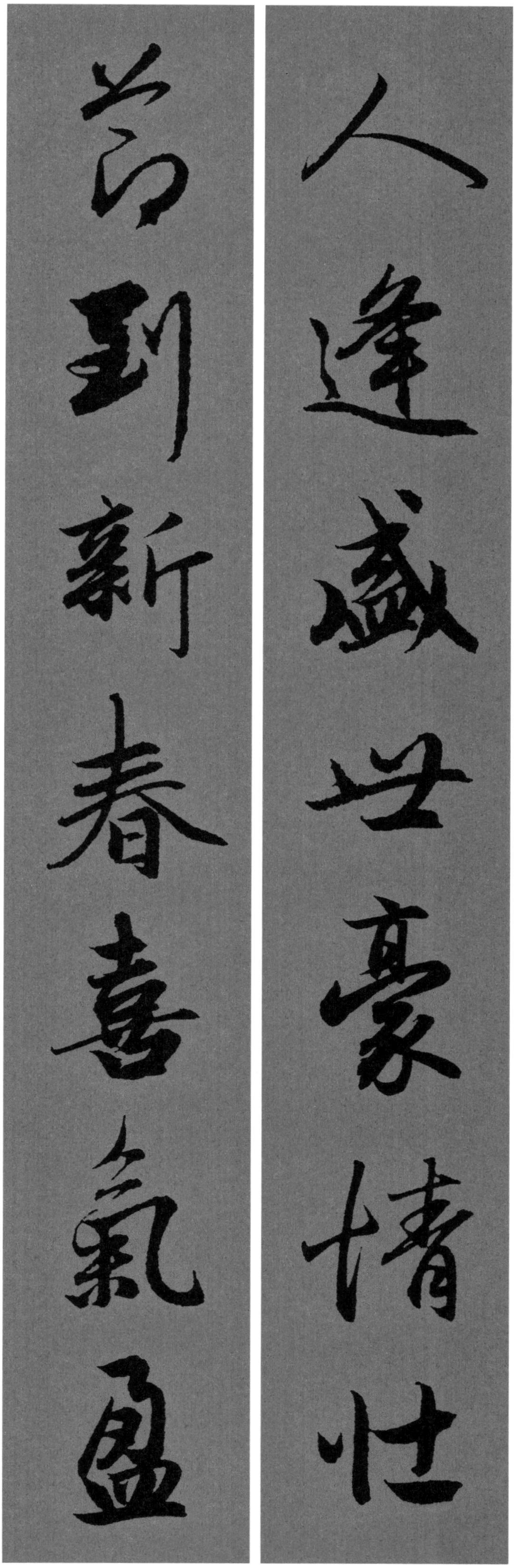

上联—人逢盛世豪情壮
下联—节到新春喜气盈

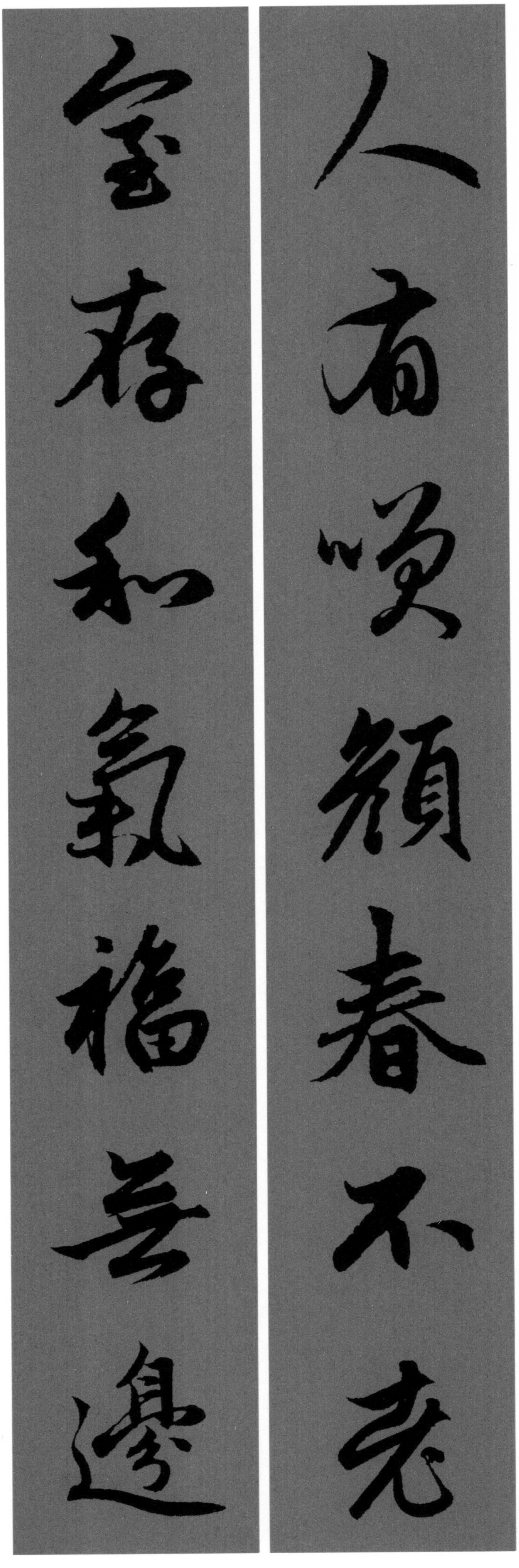

上联—人有笑颜春不老
下联—室存和气福无边

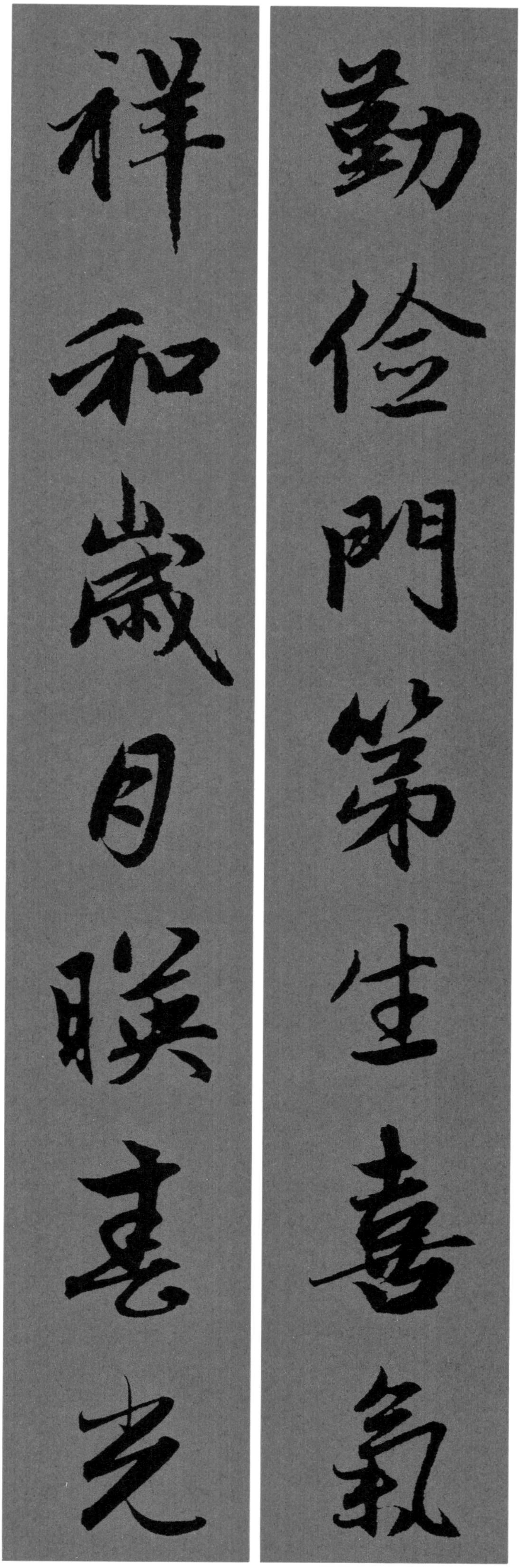

上联 — 勤俭门第生喜气
下联 — 祥和岁月映春光

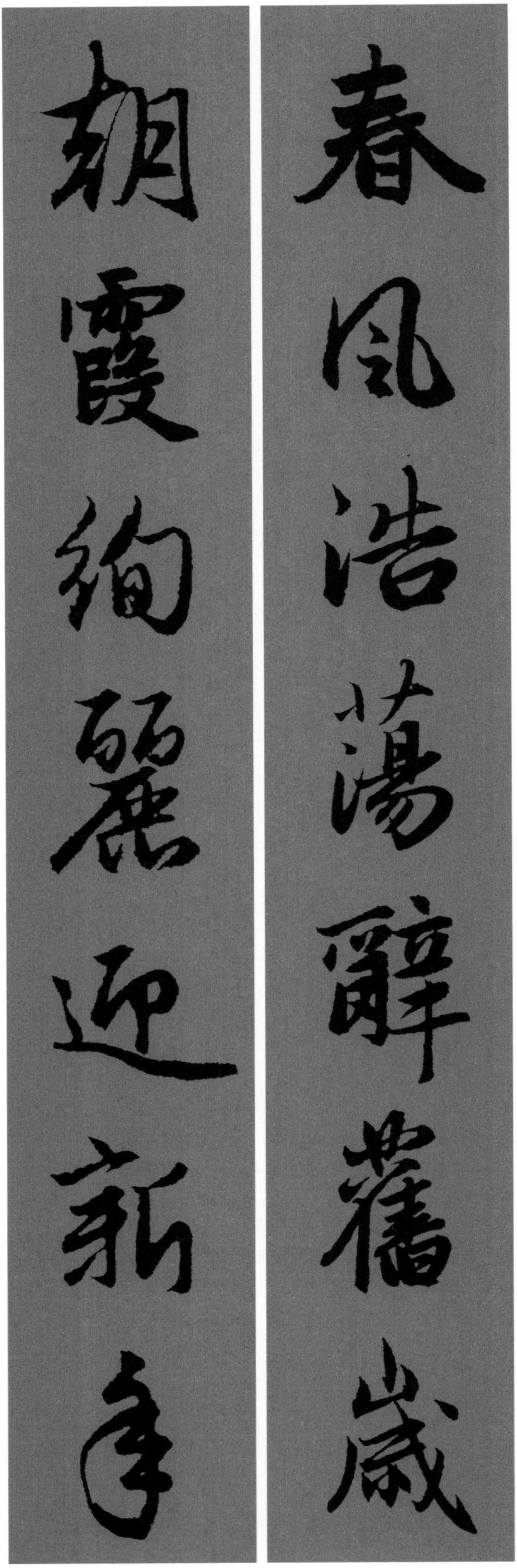

上联—春风浩荡辞旧岁
下联—朝霞绚丽迎新年

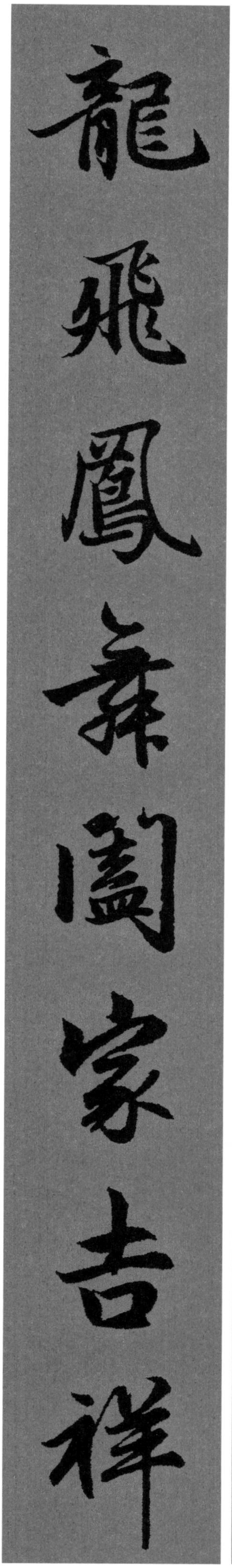

上联— 花好月圆万事如意
下联— 龙飞凤舞阖家吉祥

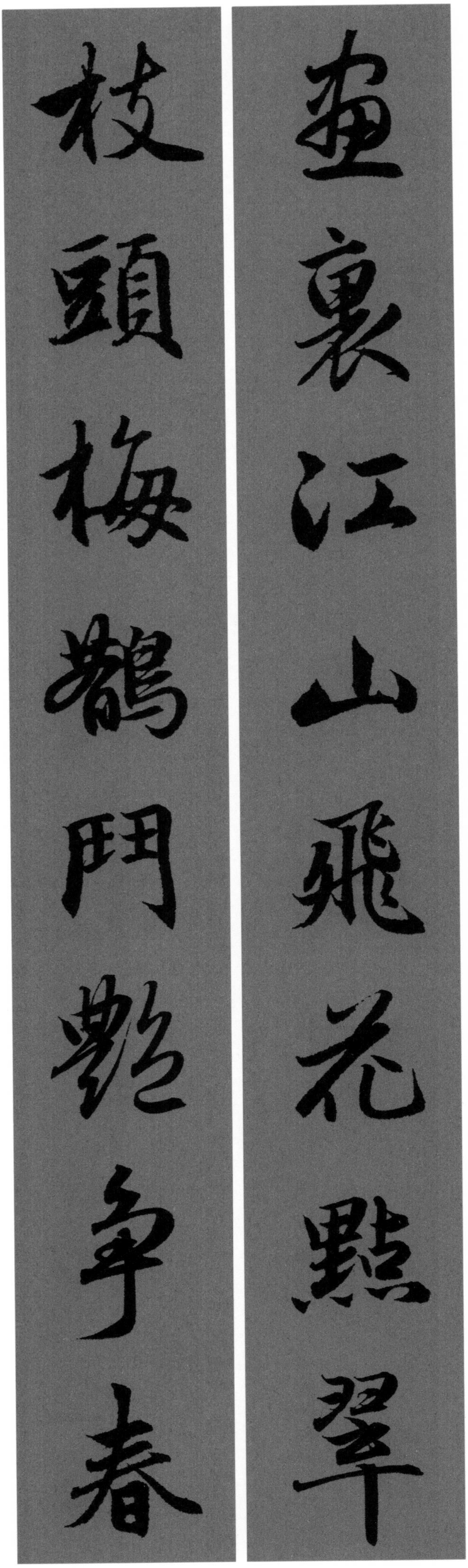

上联｜画里江山飞花点翠
下联｜枝头梅鹊斗艳争春

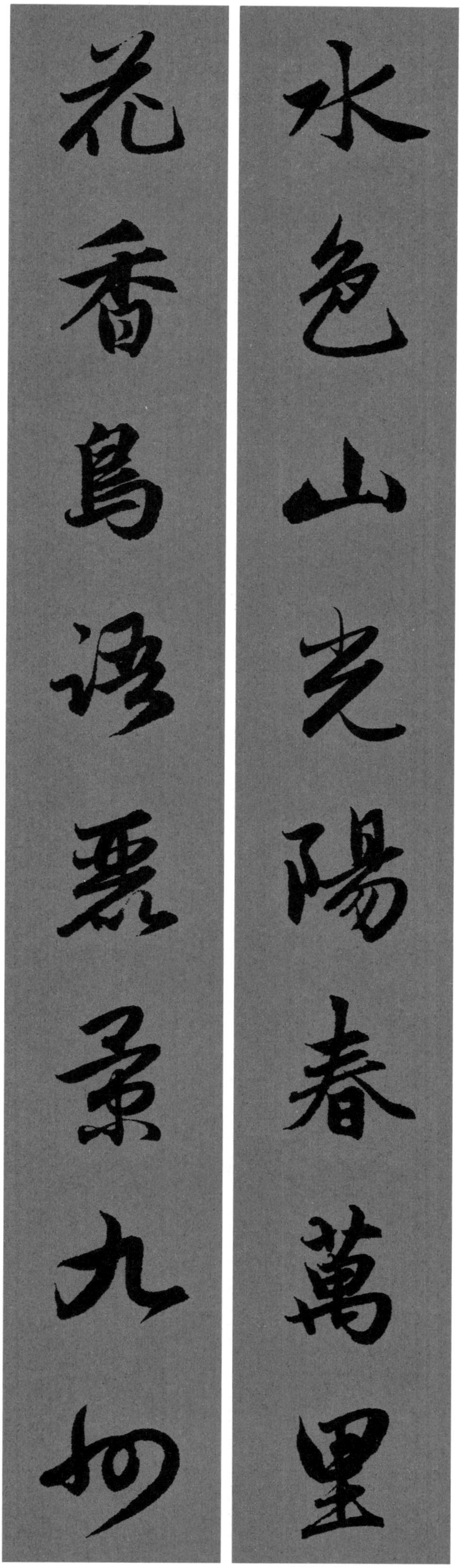

上联—水色山光阳春万里
下联—花香鸟语丽景九州

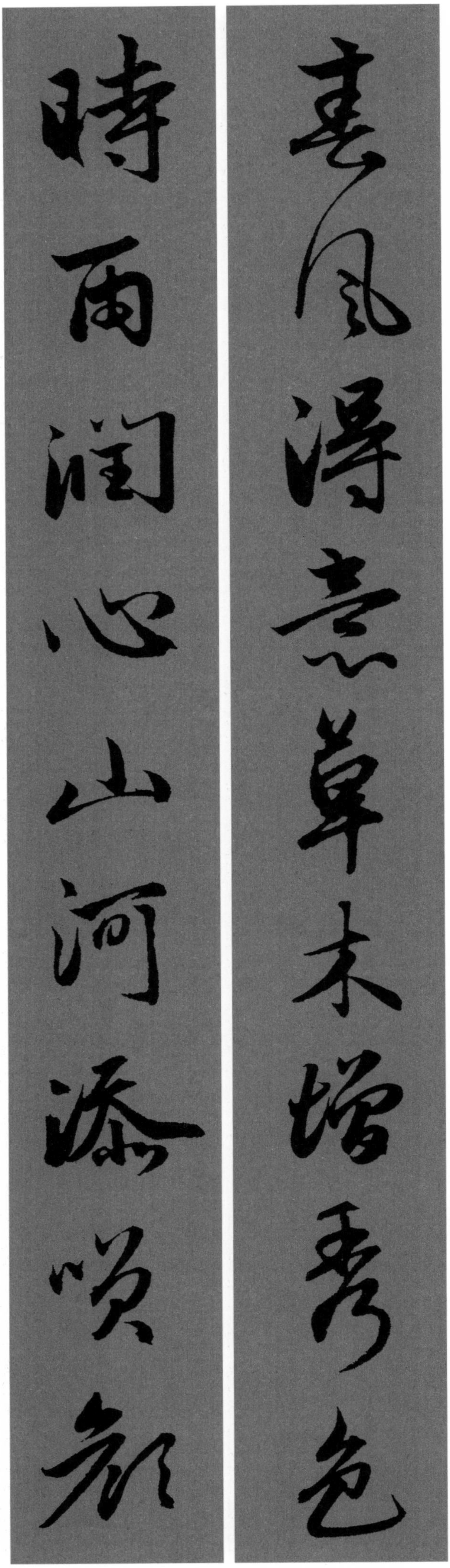

上联一春风得意草木增秀色
下联一时雨润心山河添笑颜

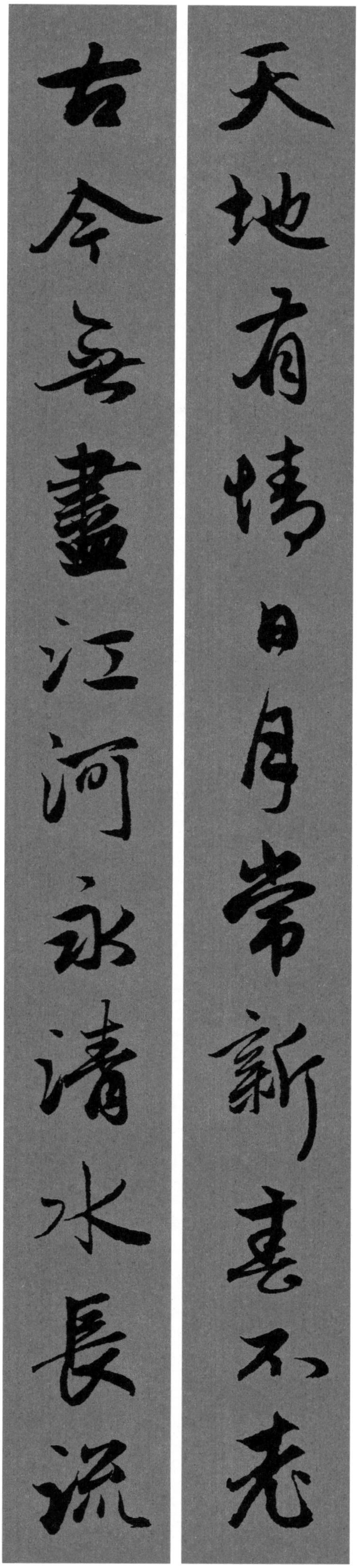
天地有情日月常新春不老
古今無盡江河永清水長流

上联 — 天地有情日月常新春不老
下联 — 古今无尽江河永清水长流

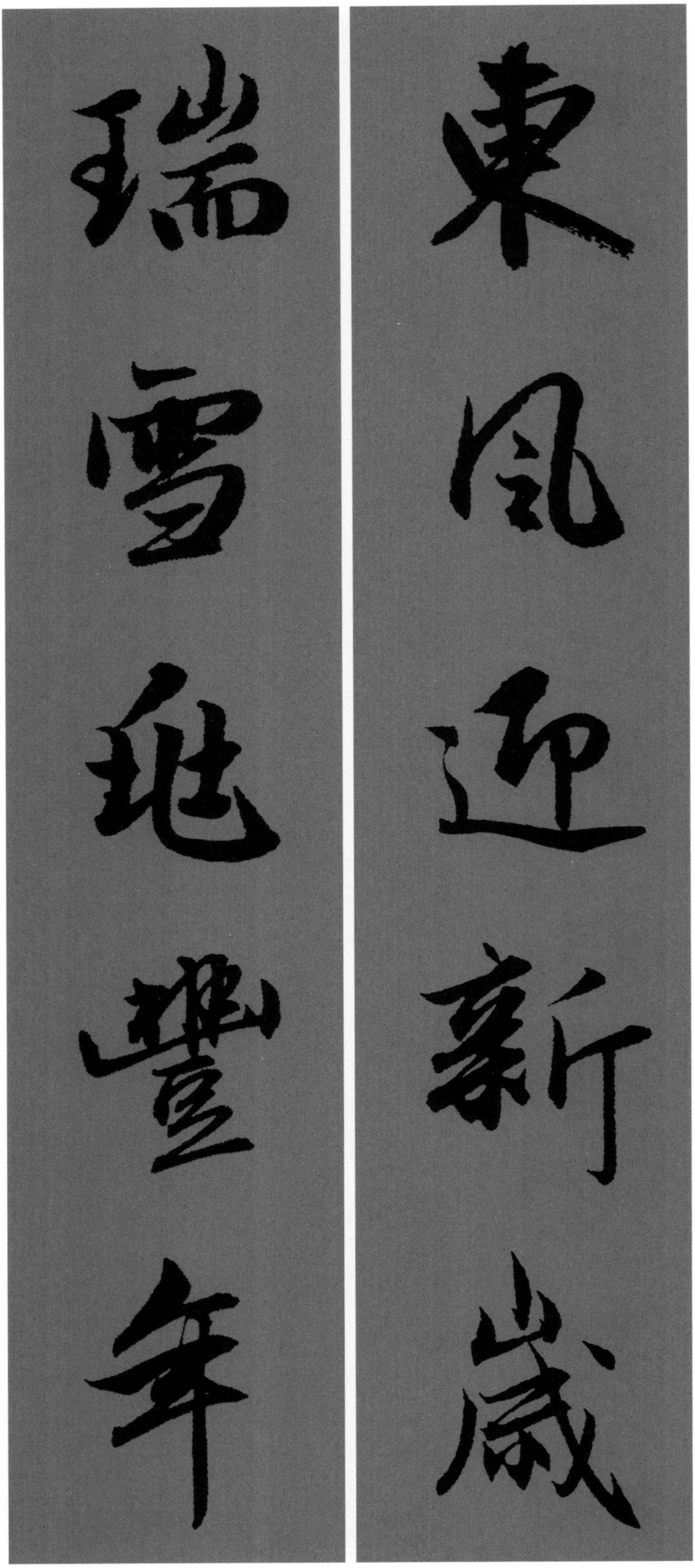

上联一 东风迎新岁
下联一 瑞雪兆丰年

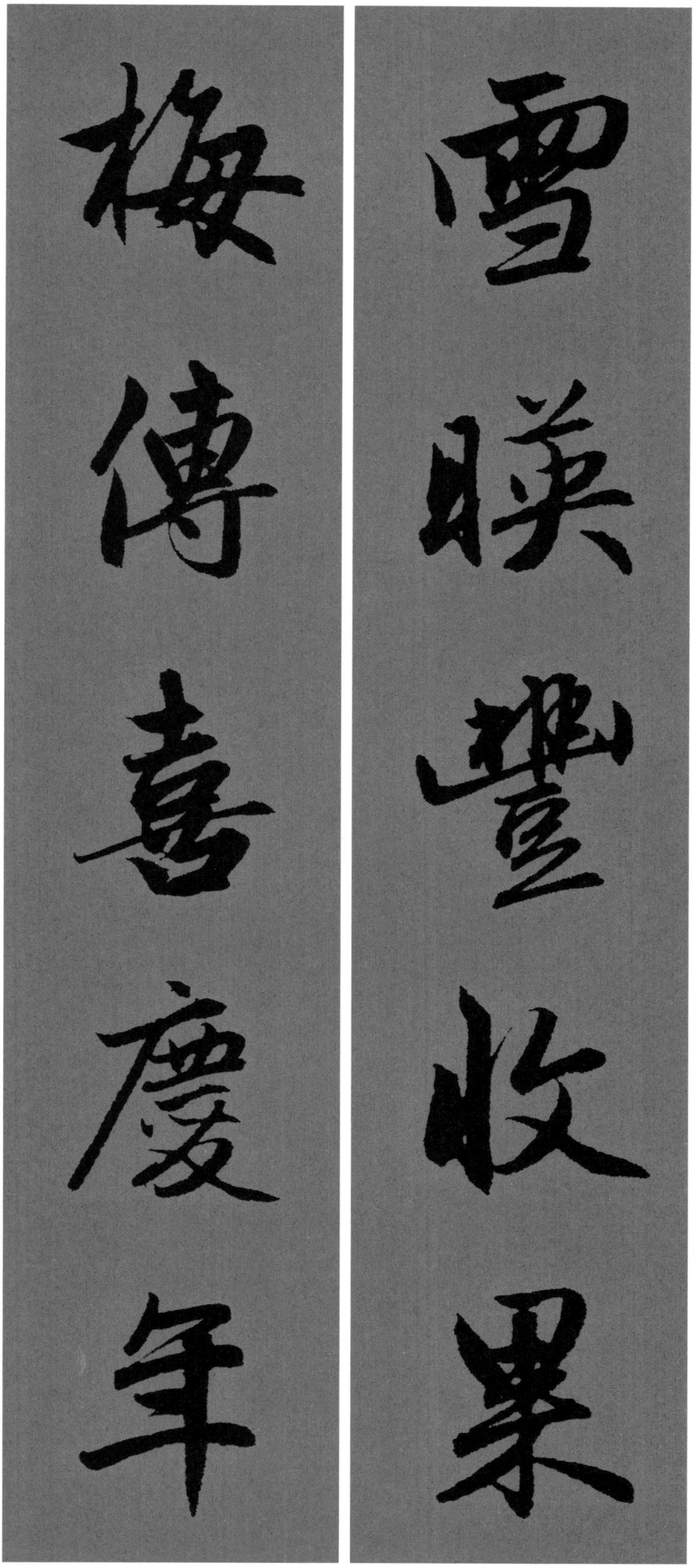

上联—雪映丰收果
下联—梅传喜庆年

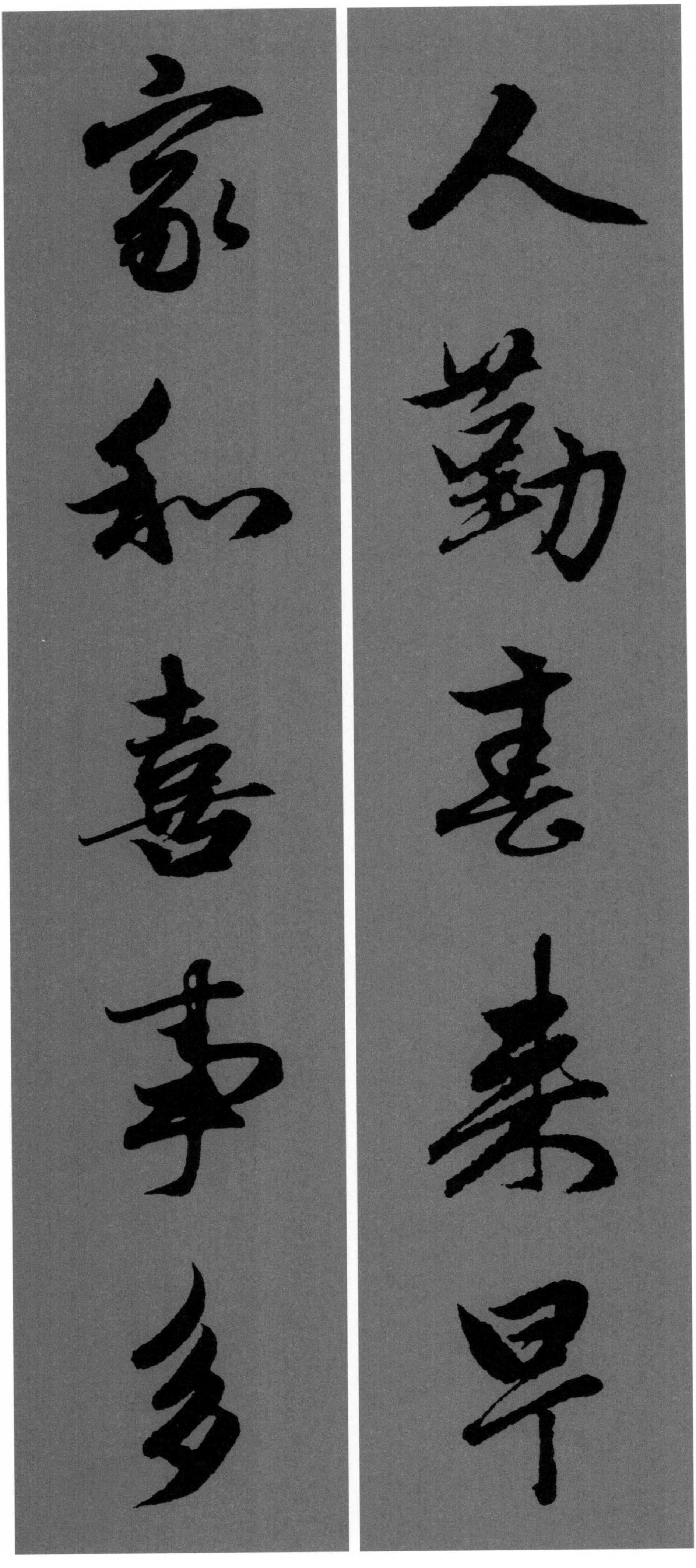

上联—人勤春来早
下联—家和喜事多

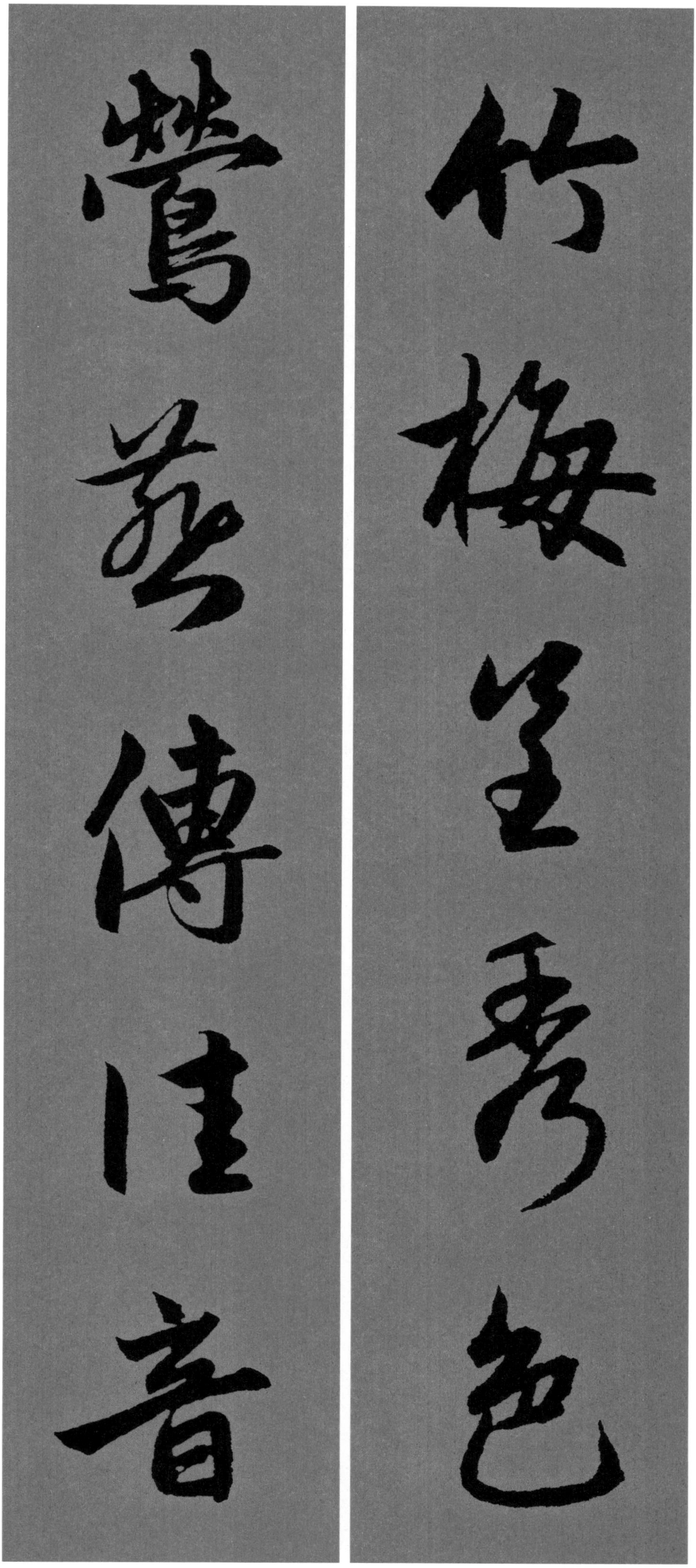

上联 — 竹梅呈秀色
下联 — 莺燕传佳音

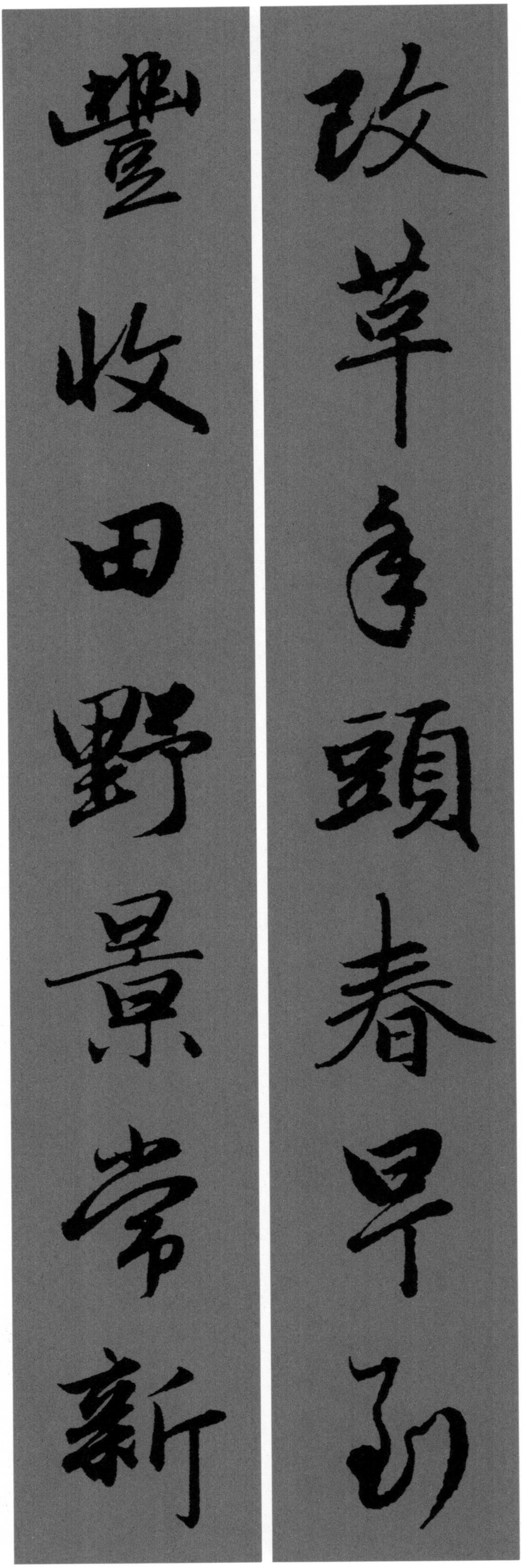

上联— 改革年头春早到
下联— 丰收田野景常新

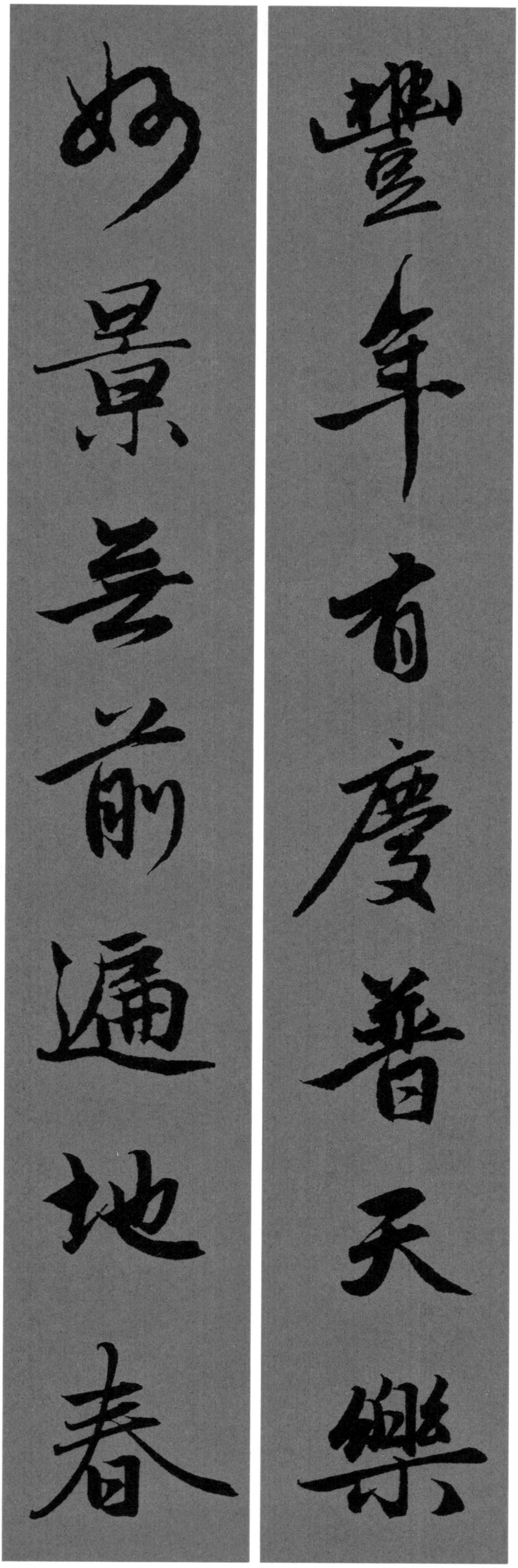

上联—丰年有庆普天乐

下联—妙景无前遍地春

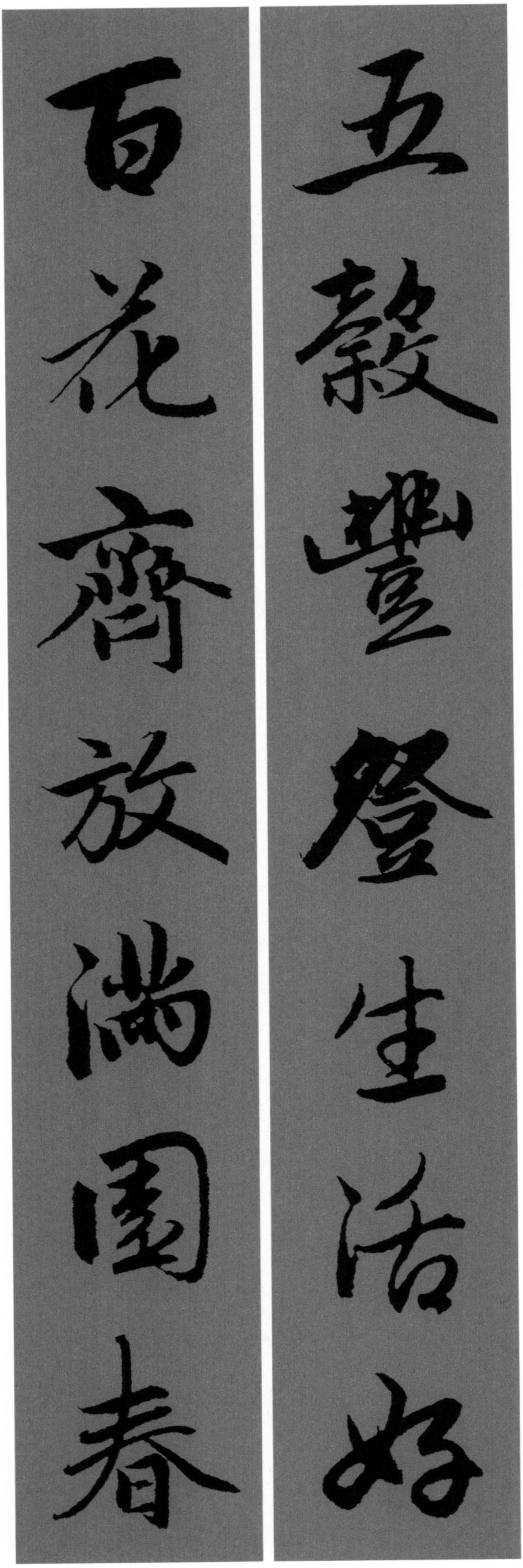
五穀豐登生活好
百花齊放滿園春

上联　五谷丰登生活好
下联　百花齐放满园春

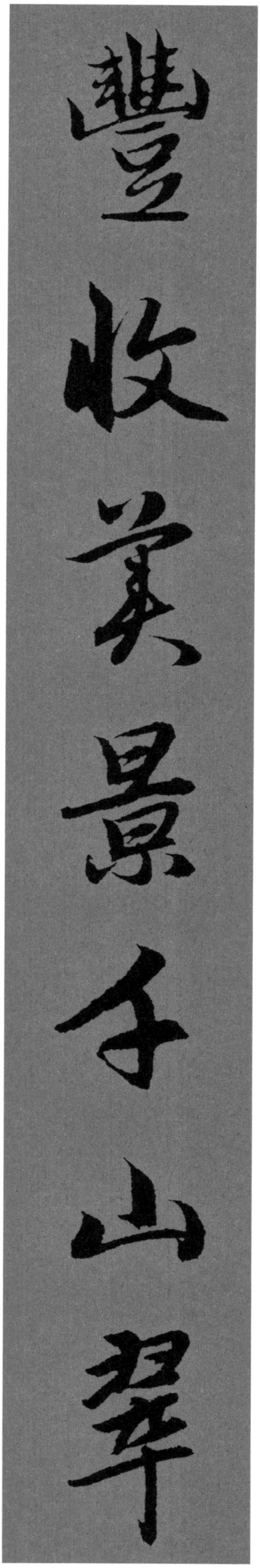

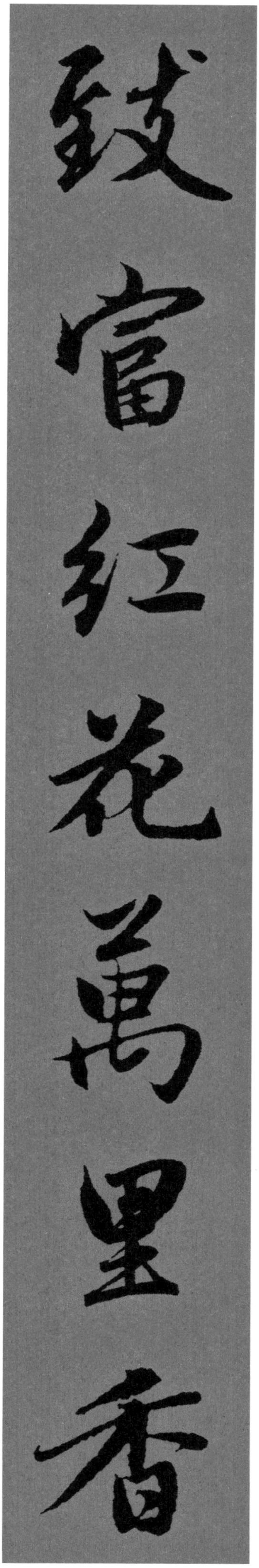

上联—丰收美景千山翠
下联—致富红花万里香

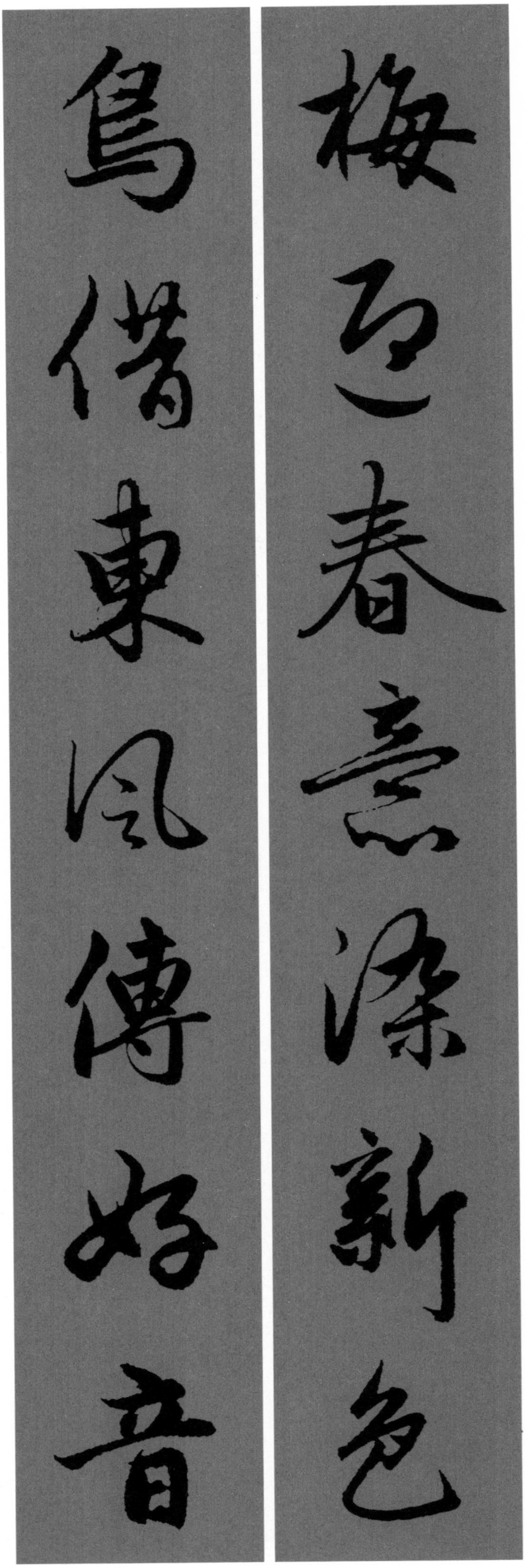

上联— 梅迎春意染新色
下联— 鸟借东风传好音

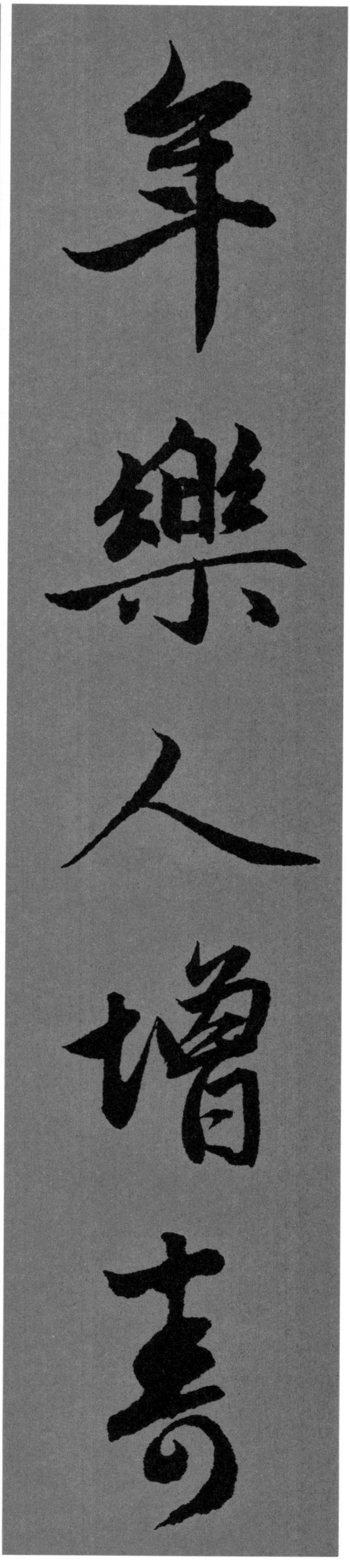

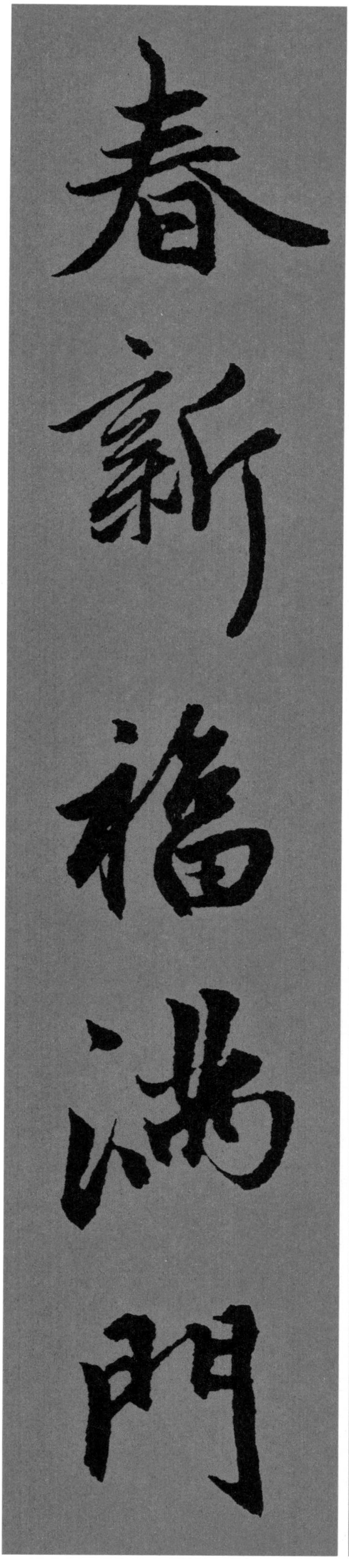

上联 — 年乐人增寿
下联 — 春新福满门

上联—福如东海大
下联—寿比南山高

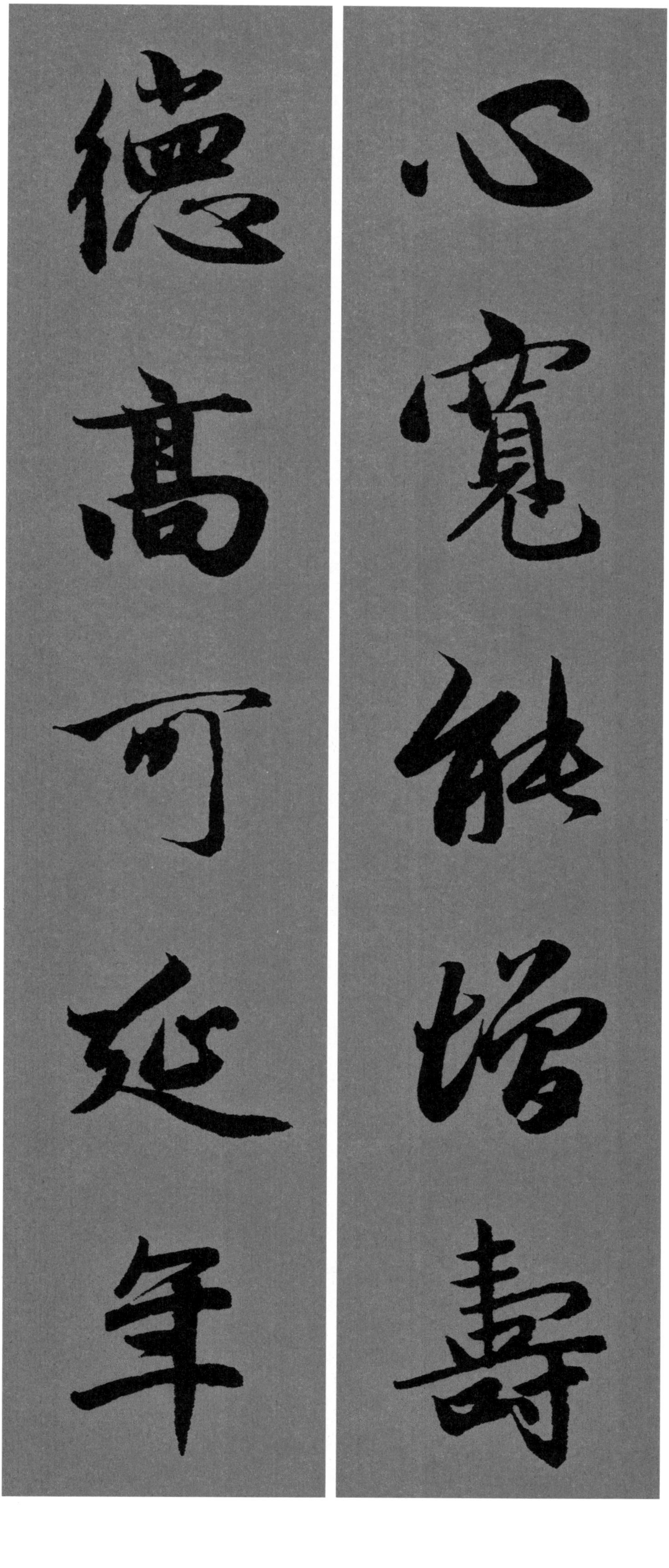

上联— 心宽能增寿
下联— 德高可延年

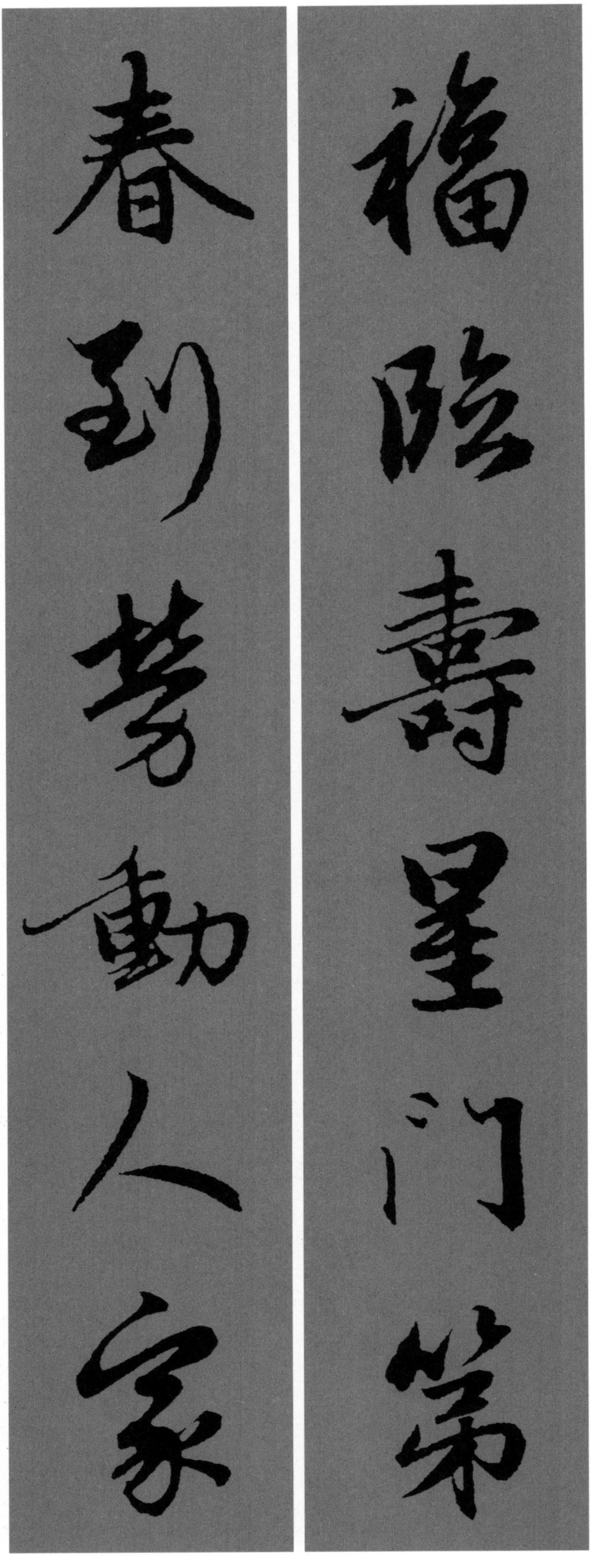

上联—福临寿星门第
下联—春到劳动人家

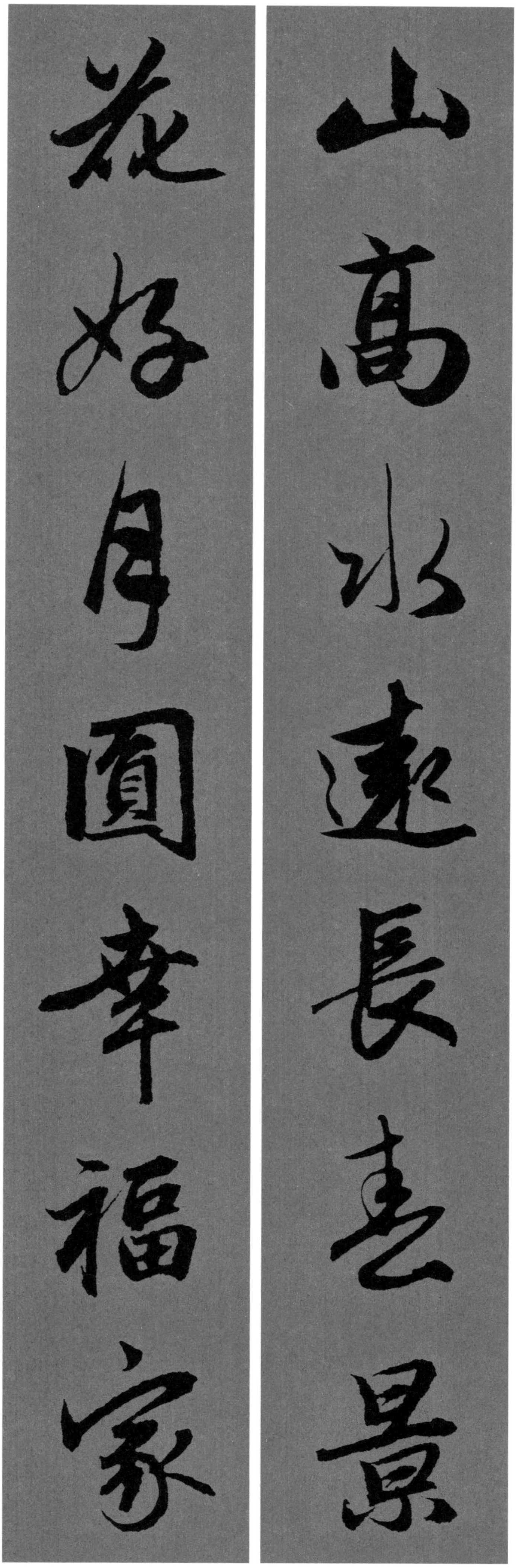

上联—山高水远长春景
下联—花好月圆幸福家

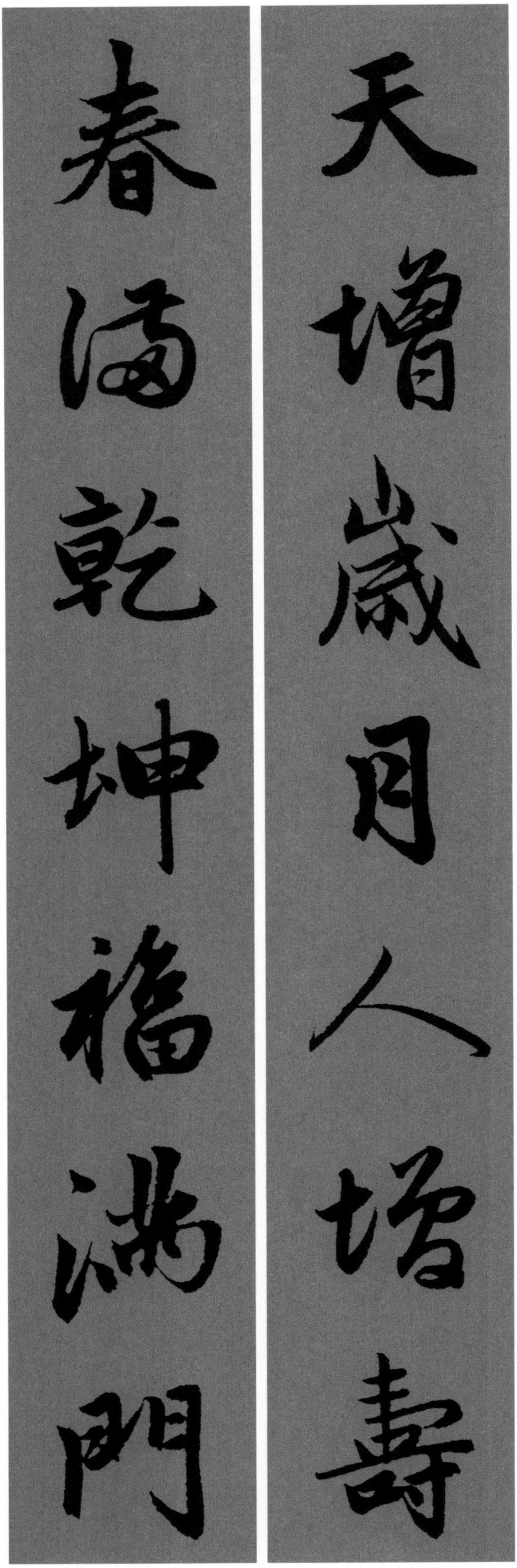

上联：天增岁月人增寿
下联：春满乾坤福满门

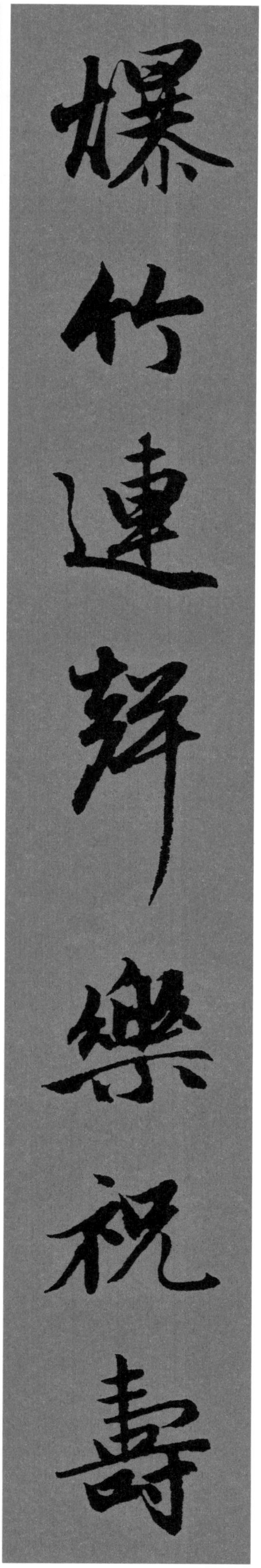

上联 — 爆竹连声乐祝寿
下联 — 彩灯高照喜庆福

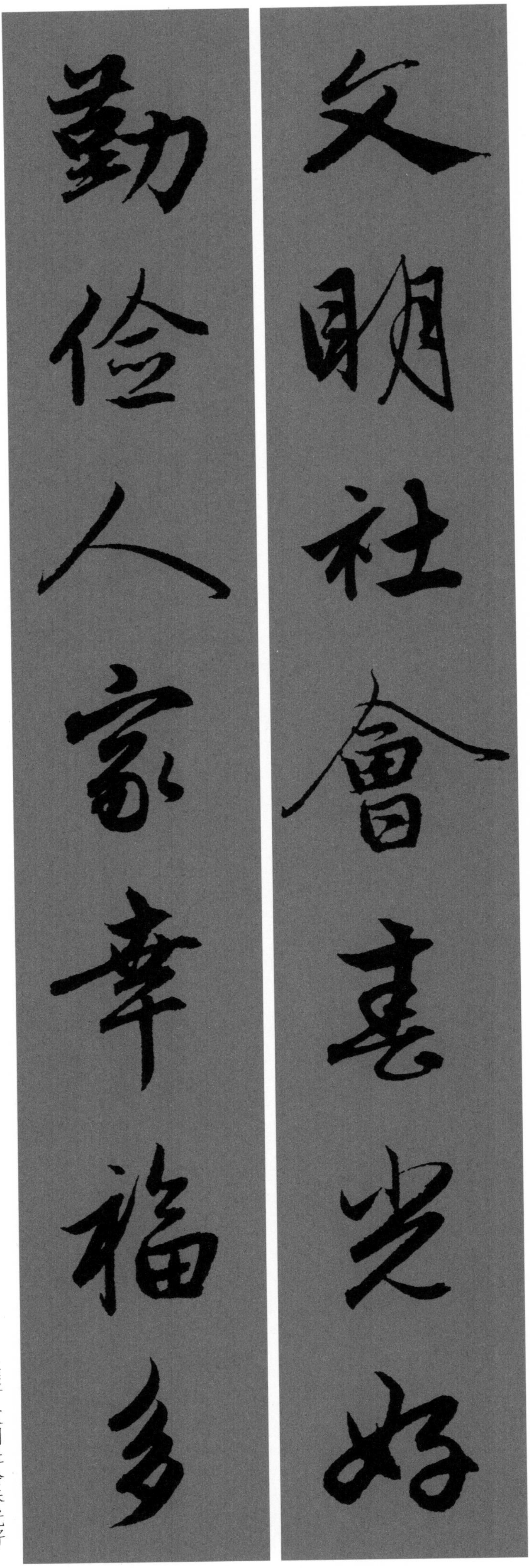

上联：文明社会春光好
下联：勤俭人家幸福多

上联——开卷书香久
下联——迎春鸟语新

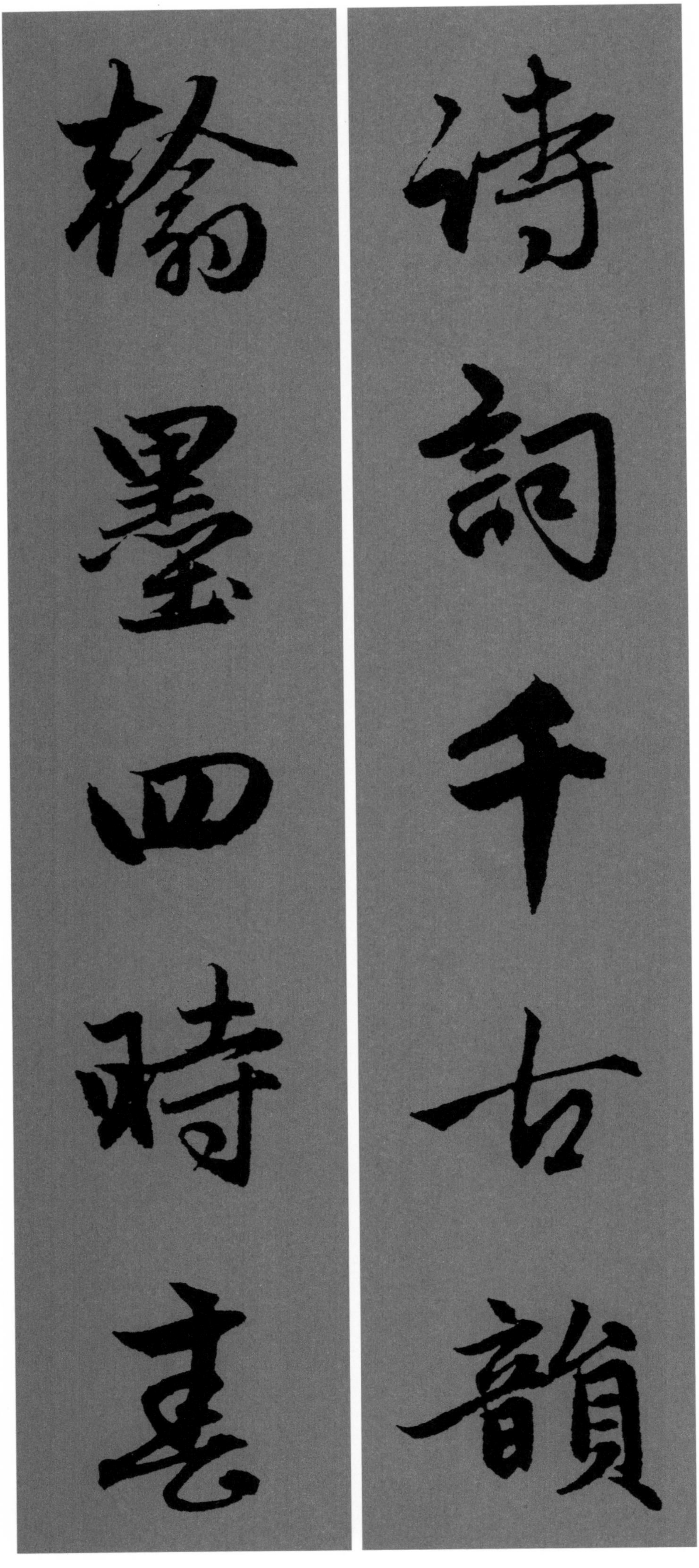

上联—诗词千古韵
下联—翰墨四时春

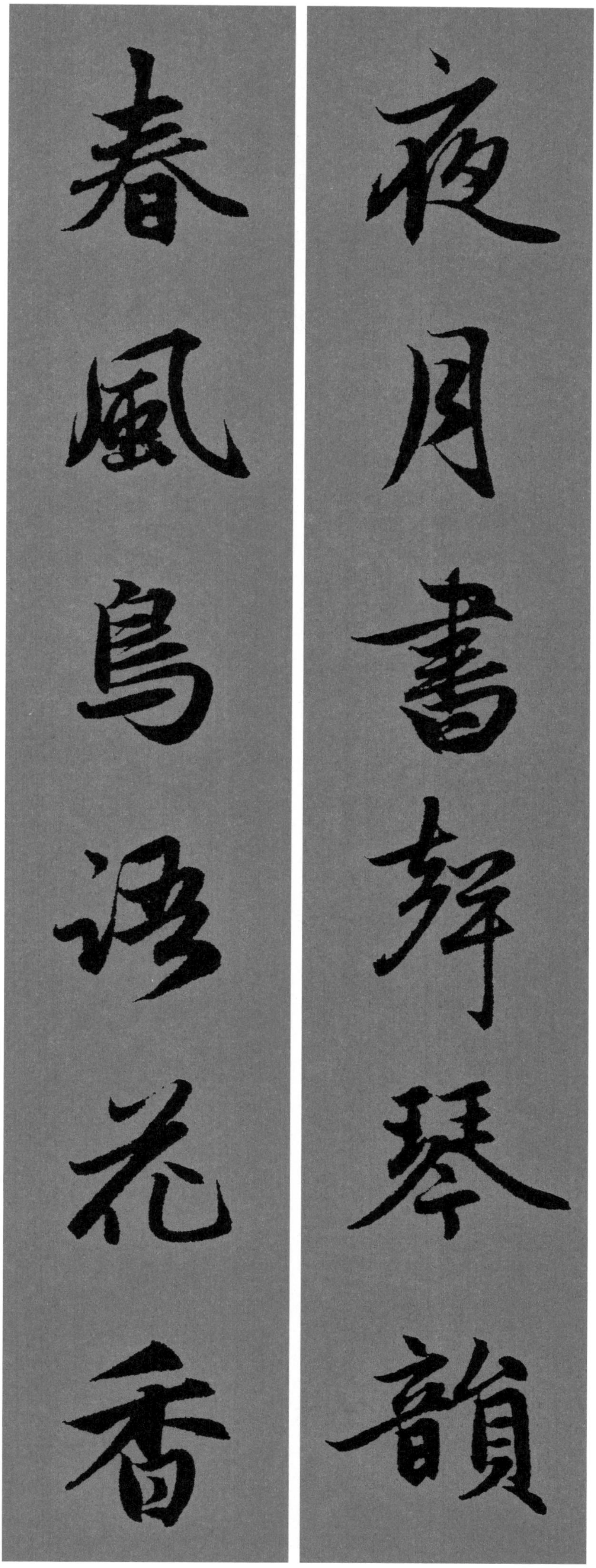

上联—夜月琴声书韵
下联—春风鸟语花香

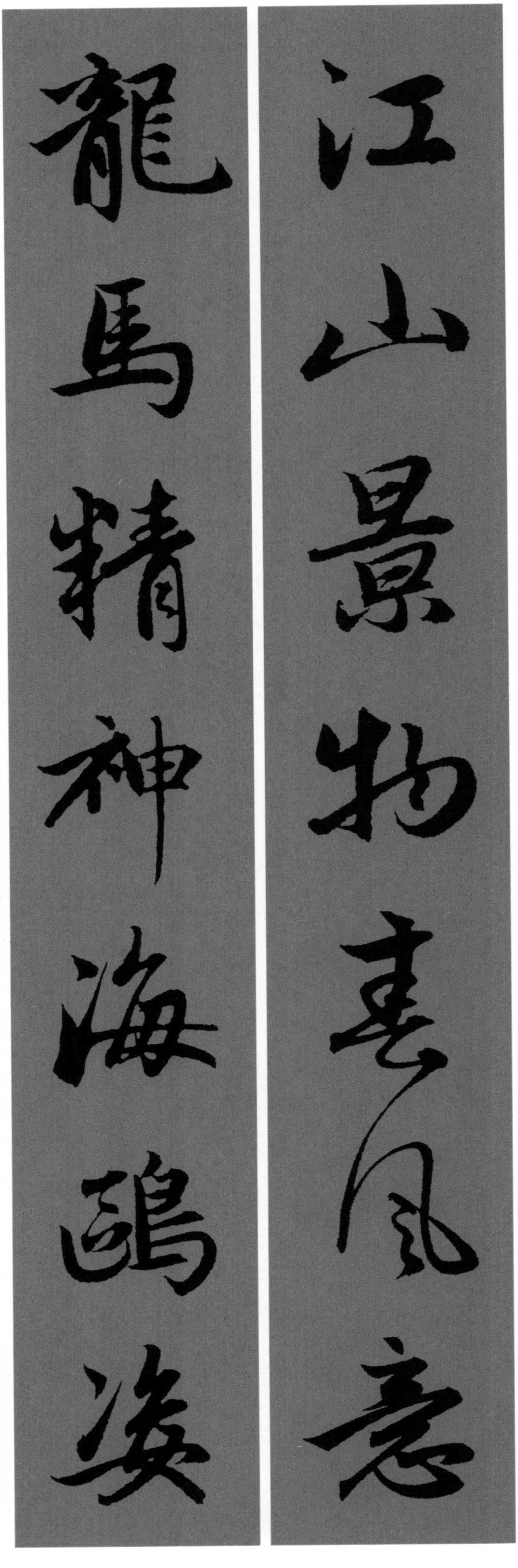

上联　江山景物春风意
下联　龙马精神海鸥姿

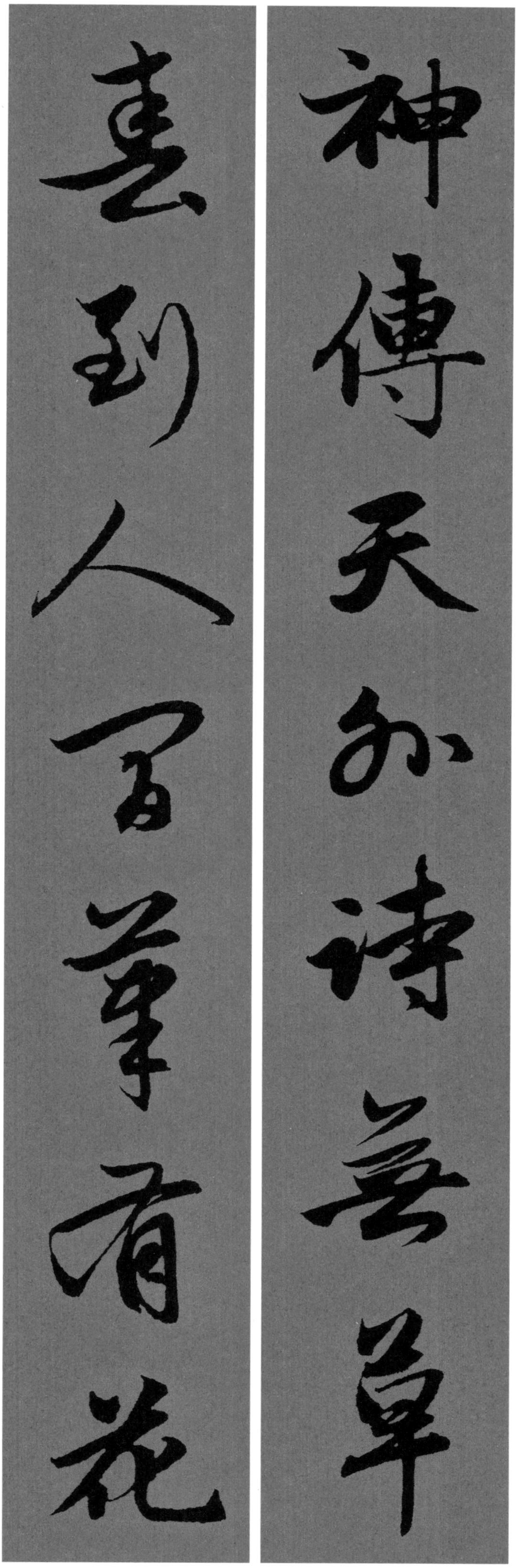

上联—神传天外诗无草
下联—春到人间笔有花

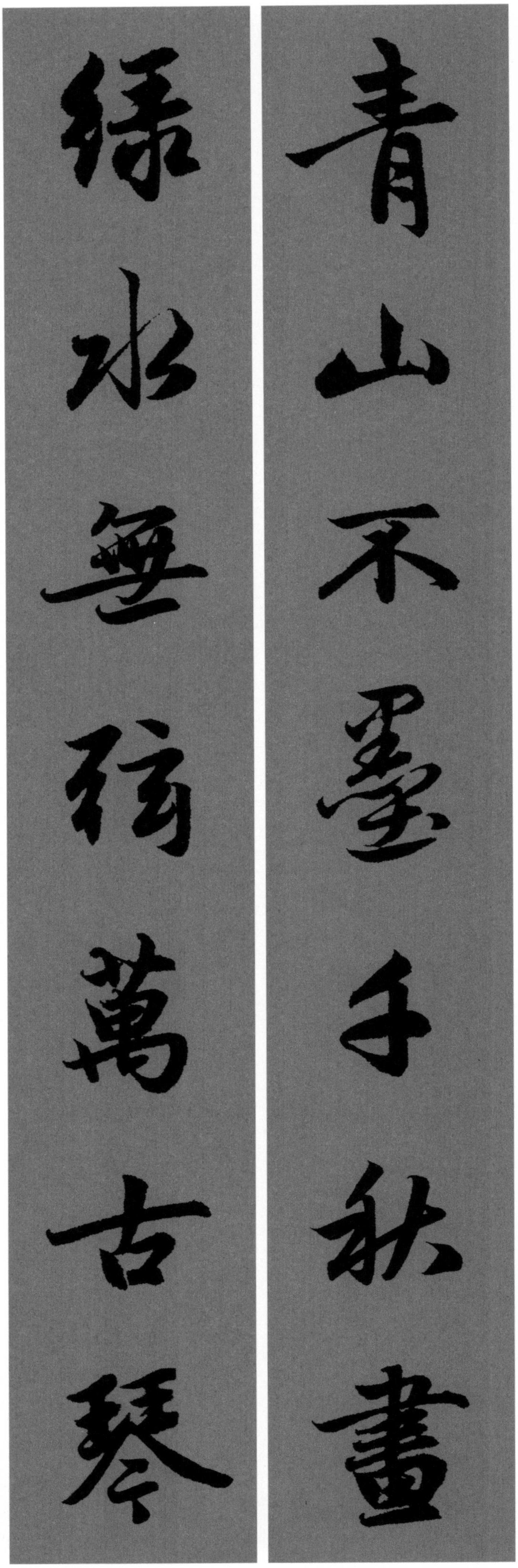

上联—青山不墨千秋画
下联—绿水无弦万古琴

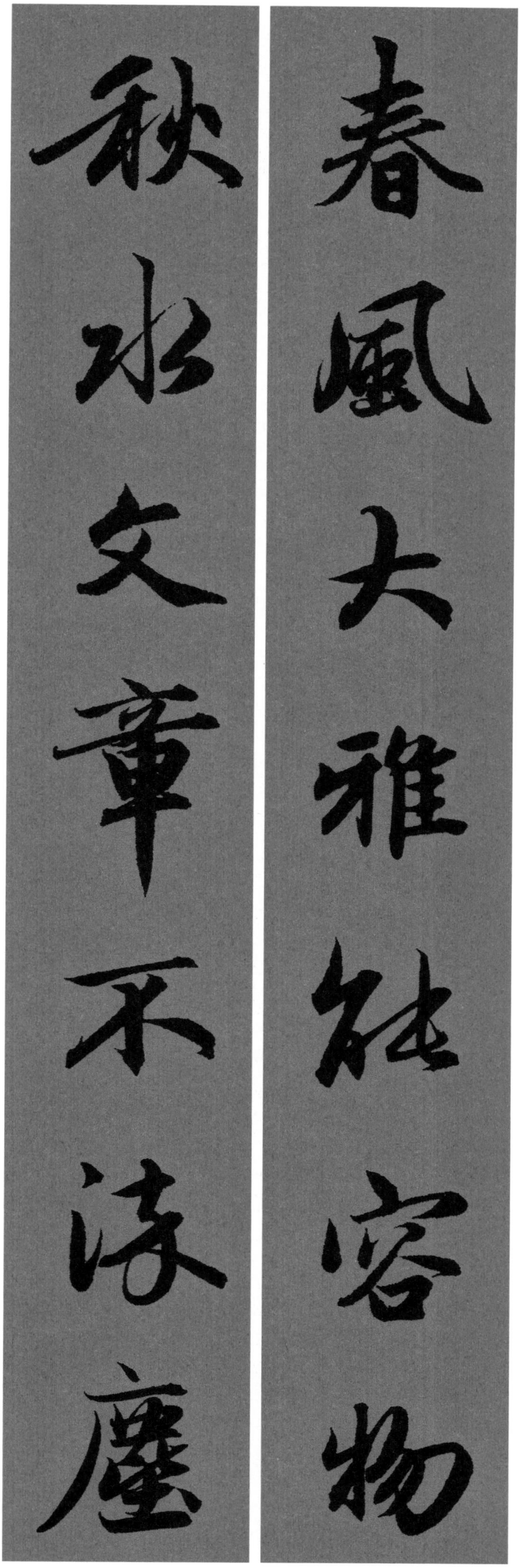

上联—春风大雅能容物
下联—秋水文章不染尘

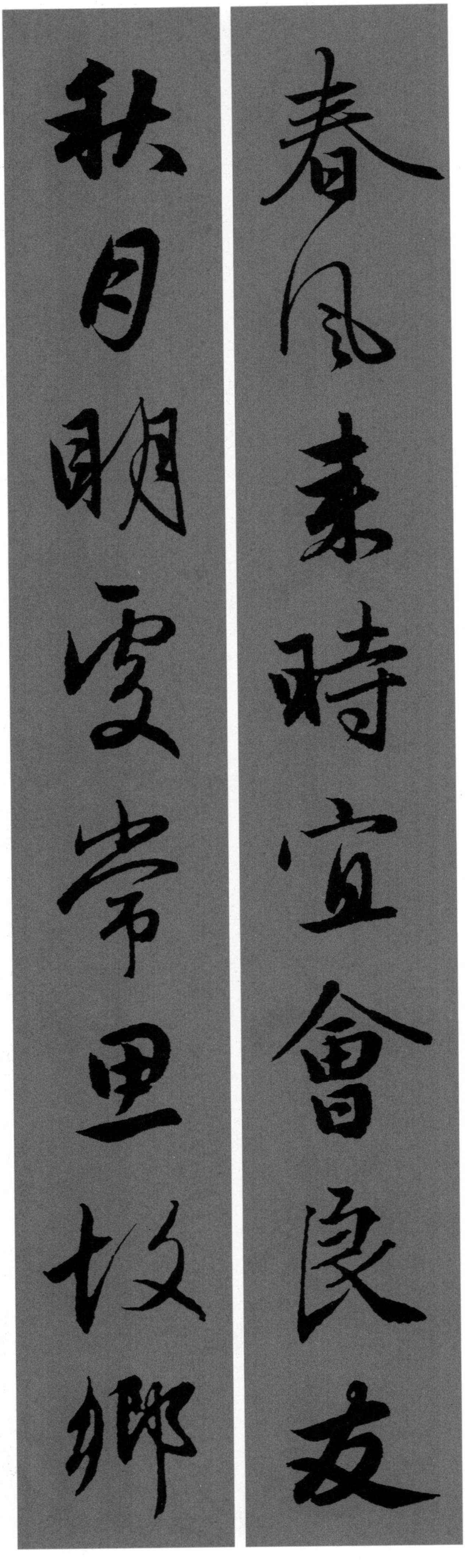

上联—春风来时宜会良友
下联—秋月明处常思故乡

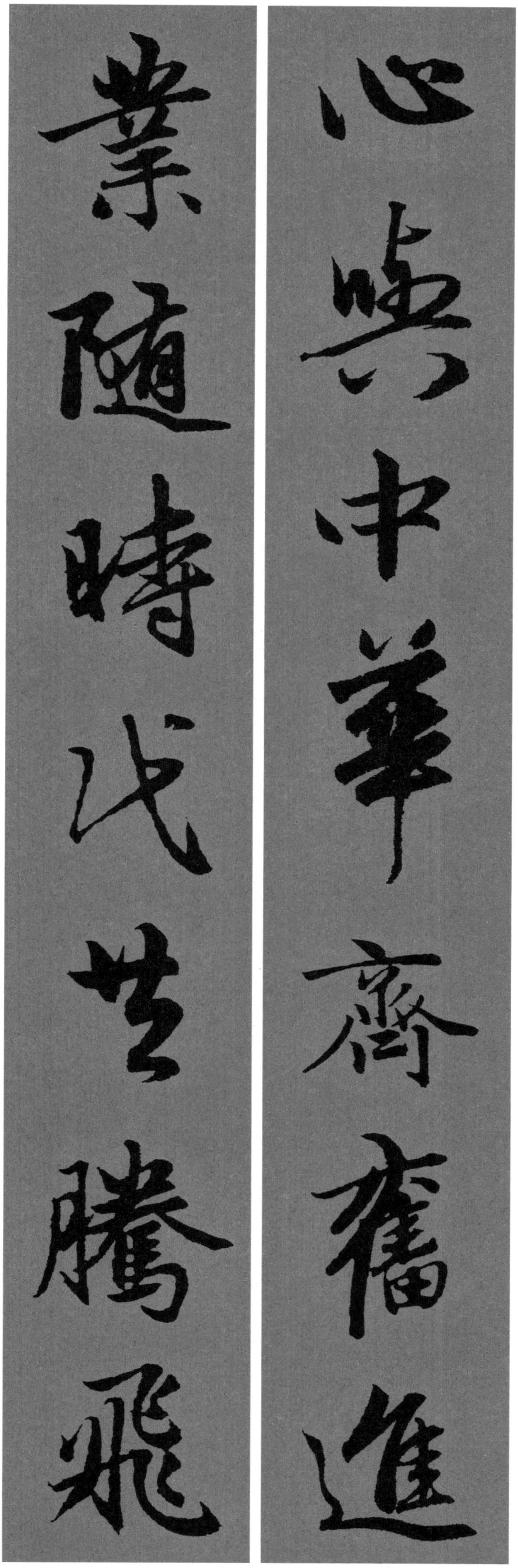

上联—心与中华齐奋进
下联—业随时代共腾飞

上联—满面春风迎客至
下联—四时生意在人为

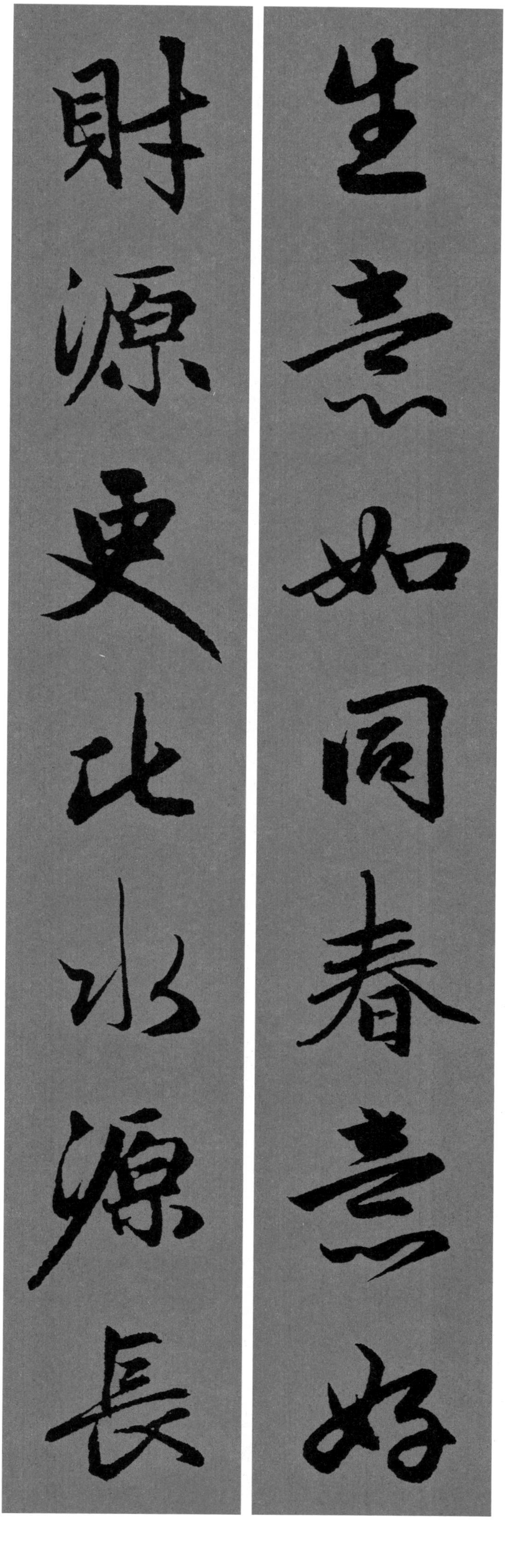

上联—生意如同春意好
下联—财源更比水源长

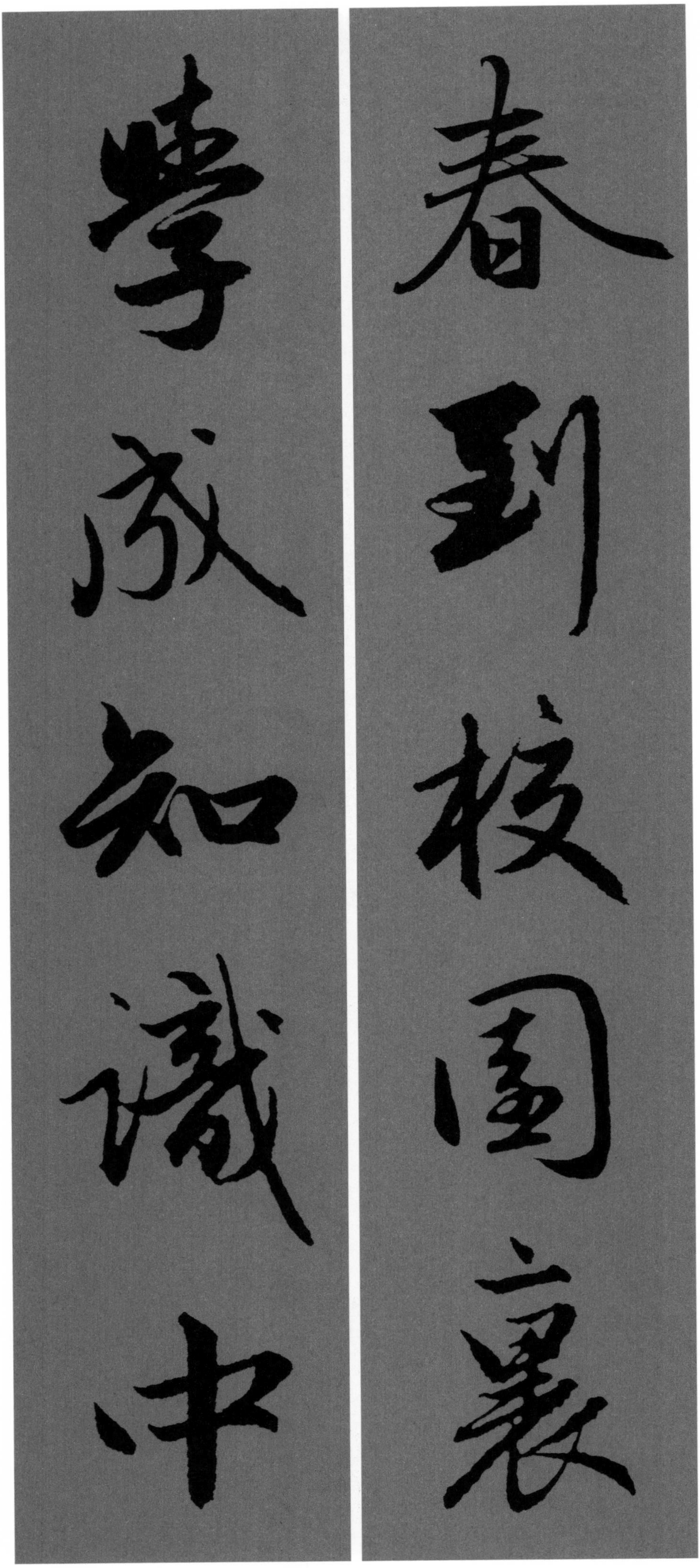

上联—春到校园里
下联—学成知识中

上联 — 为人师表诲而不倦
下联 — 与国树才教必有方

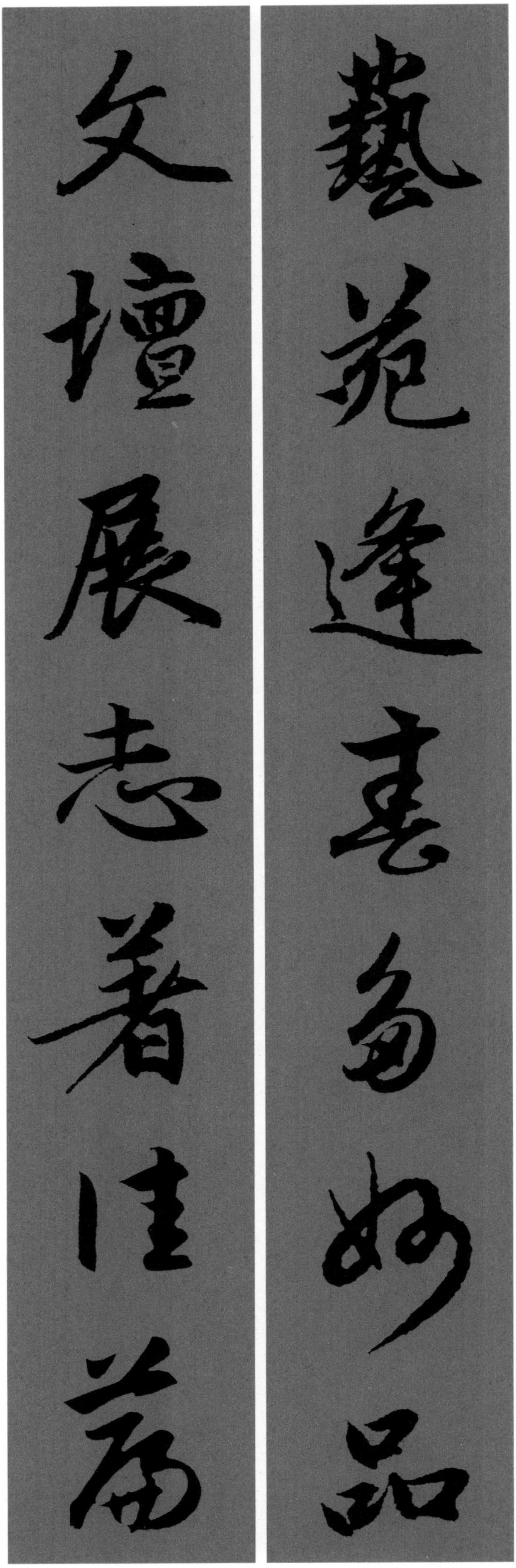

上联—艺苑逢春多妙品
下联—文坛展志著佳篇

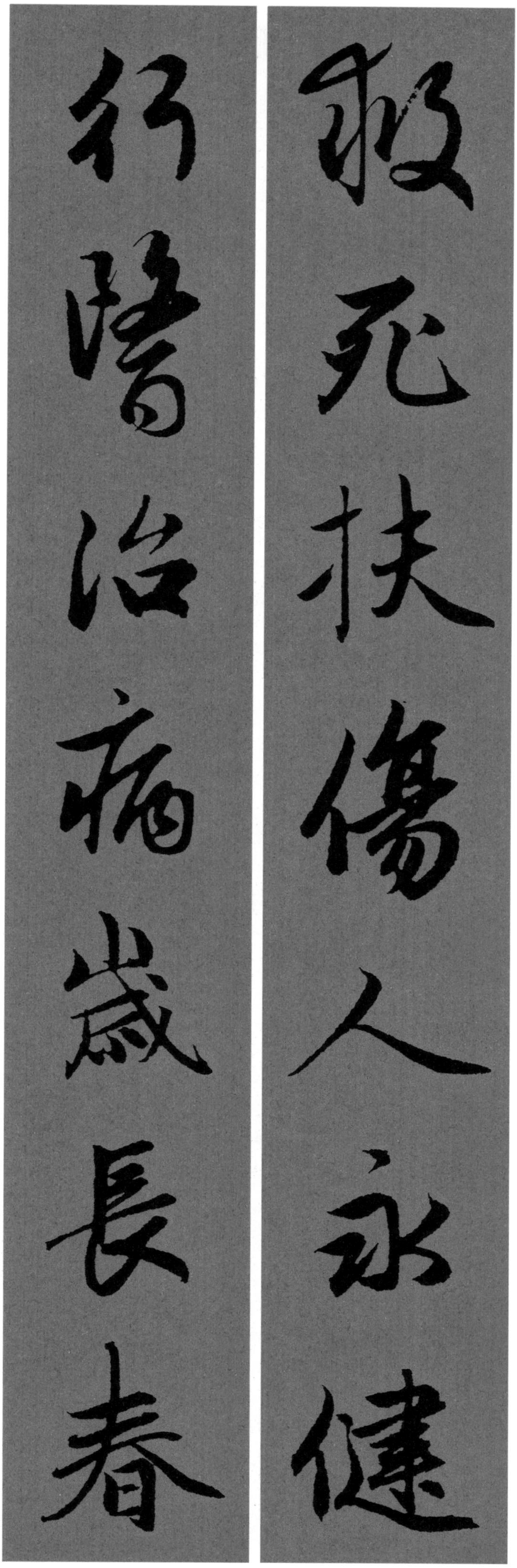

上联—救死扶伤人永健
下联—行医治病岁长春

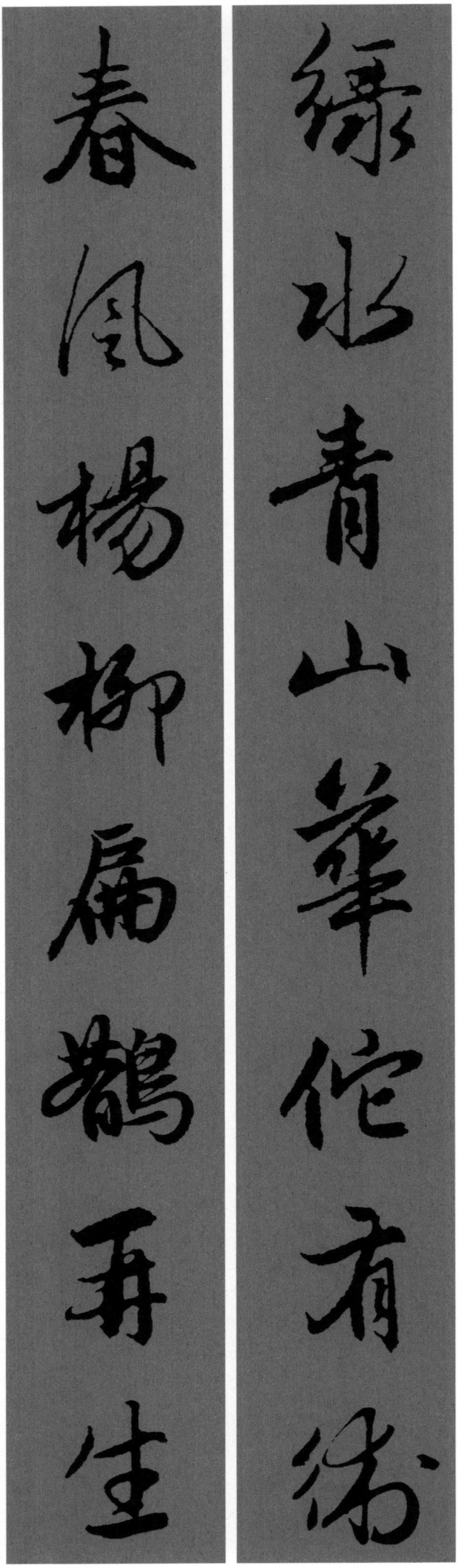

上联—绿水青山华佗有术
下联—春风杨柳扁鹊再生

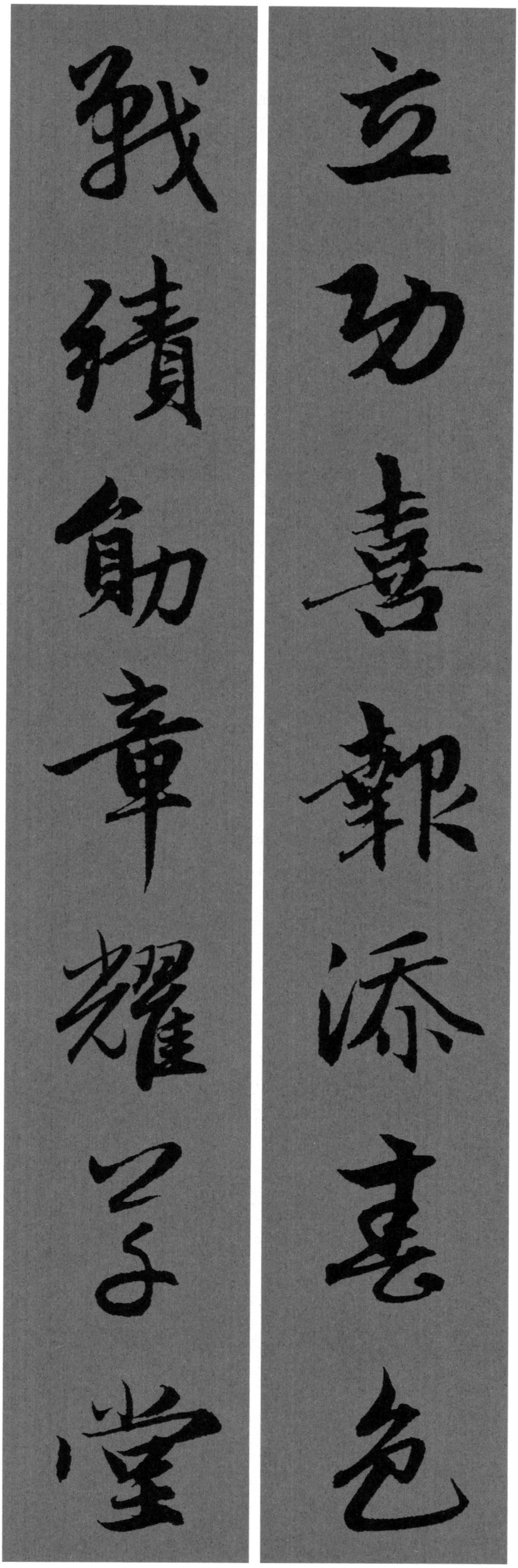

上联 — 立功喜报添春色
下联 — 战绩勋章耀草堂

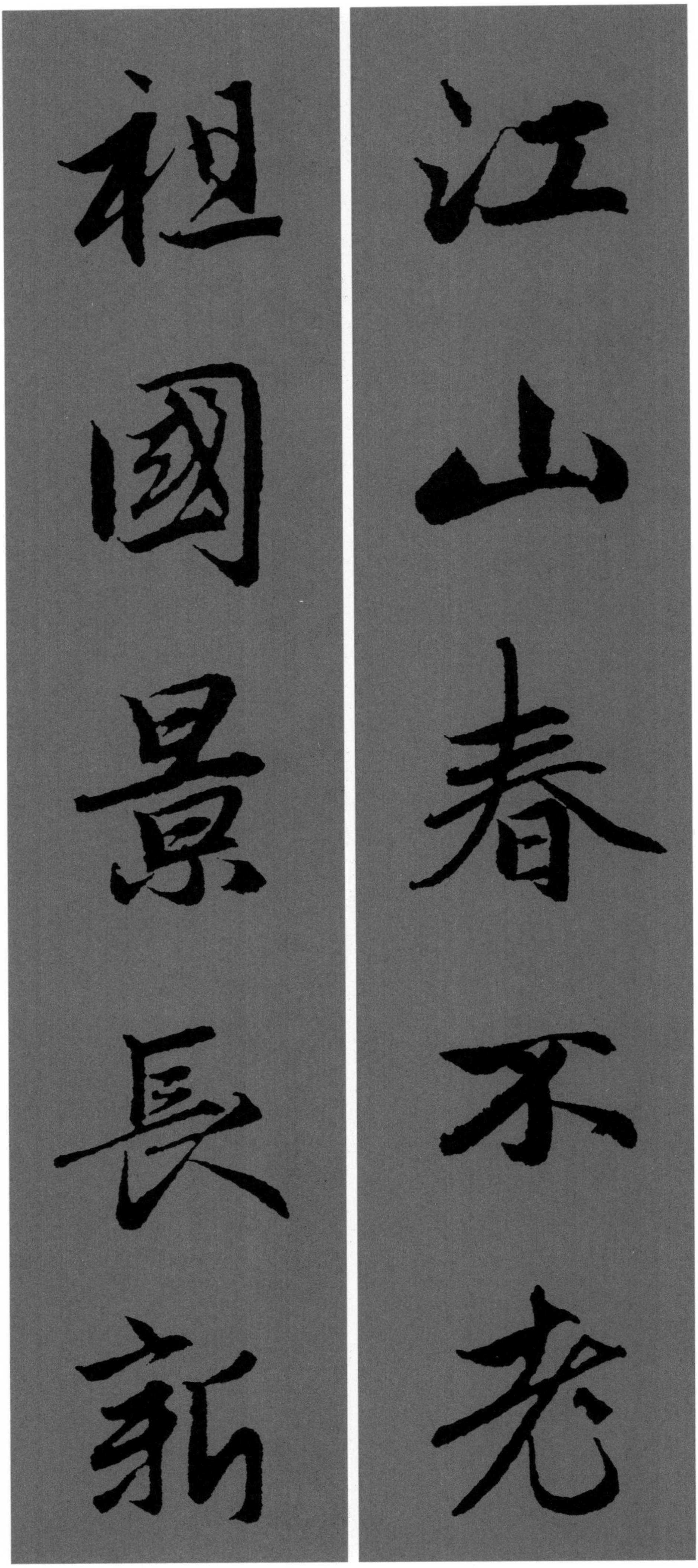

上联一 江山春不老
下联一 祖国景长新

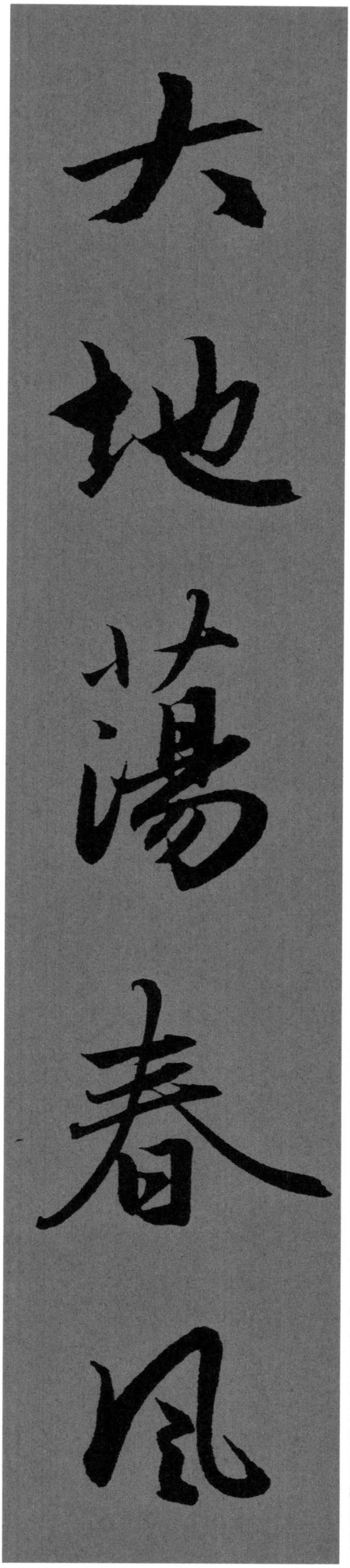

上联—神州扬正气
下联—大地荡春风

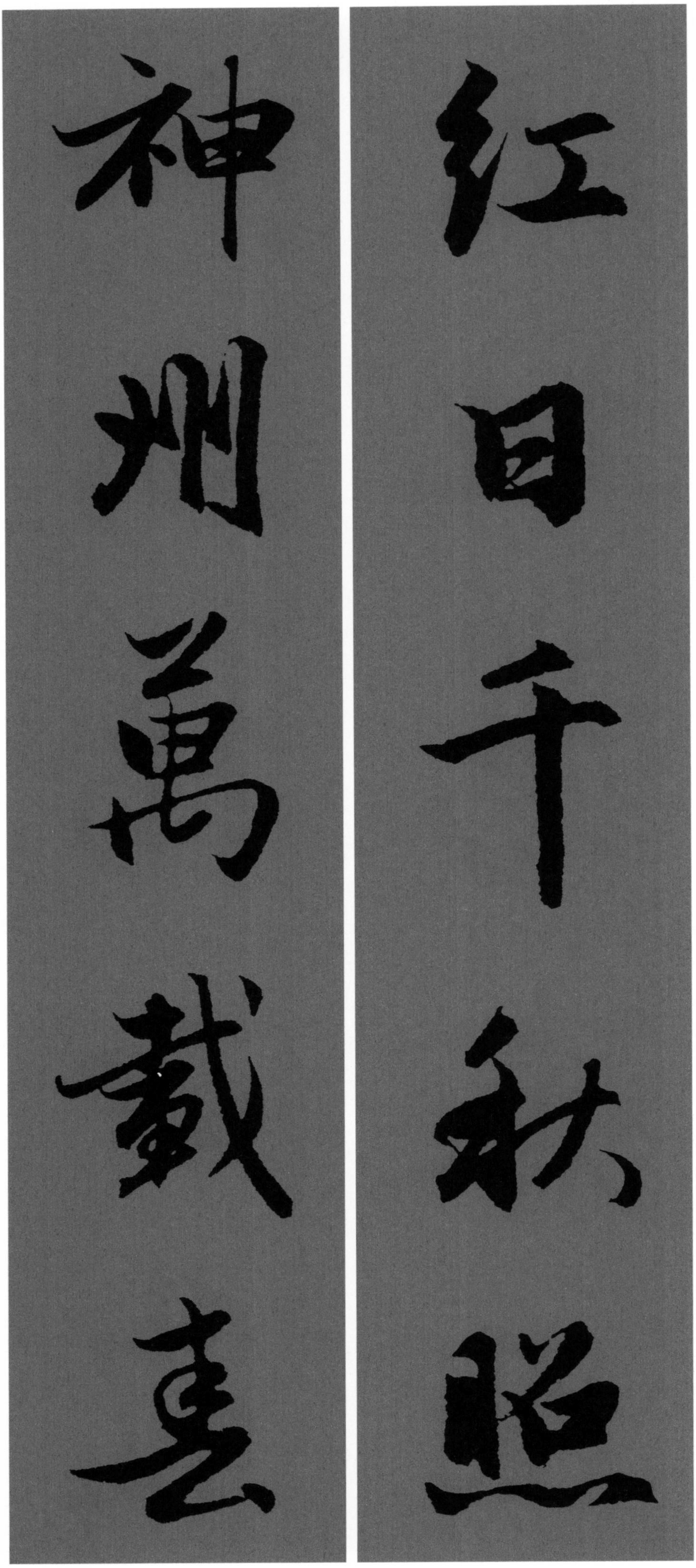

上联　红日千秋照
下联　神州万载春

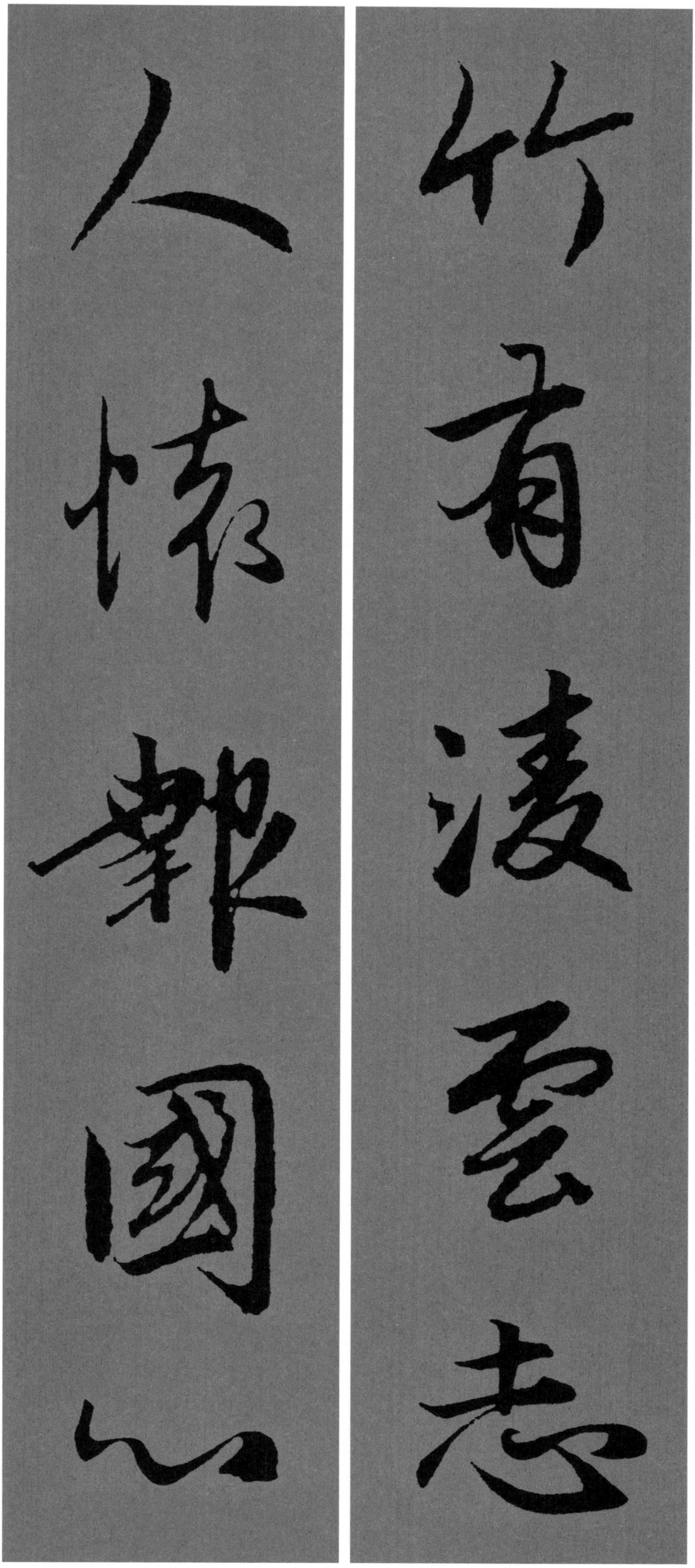

上联— 竹有凌云志
下联— 人怀报国心

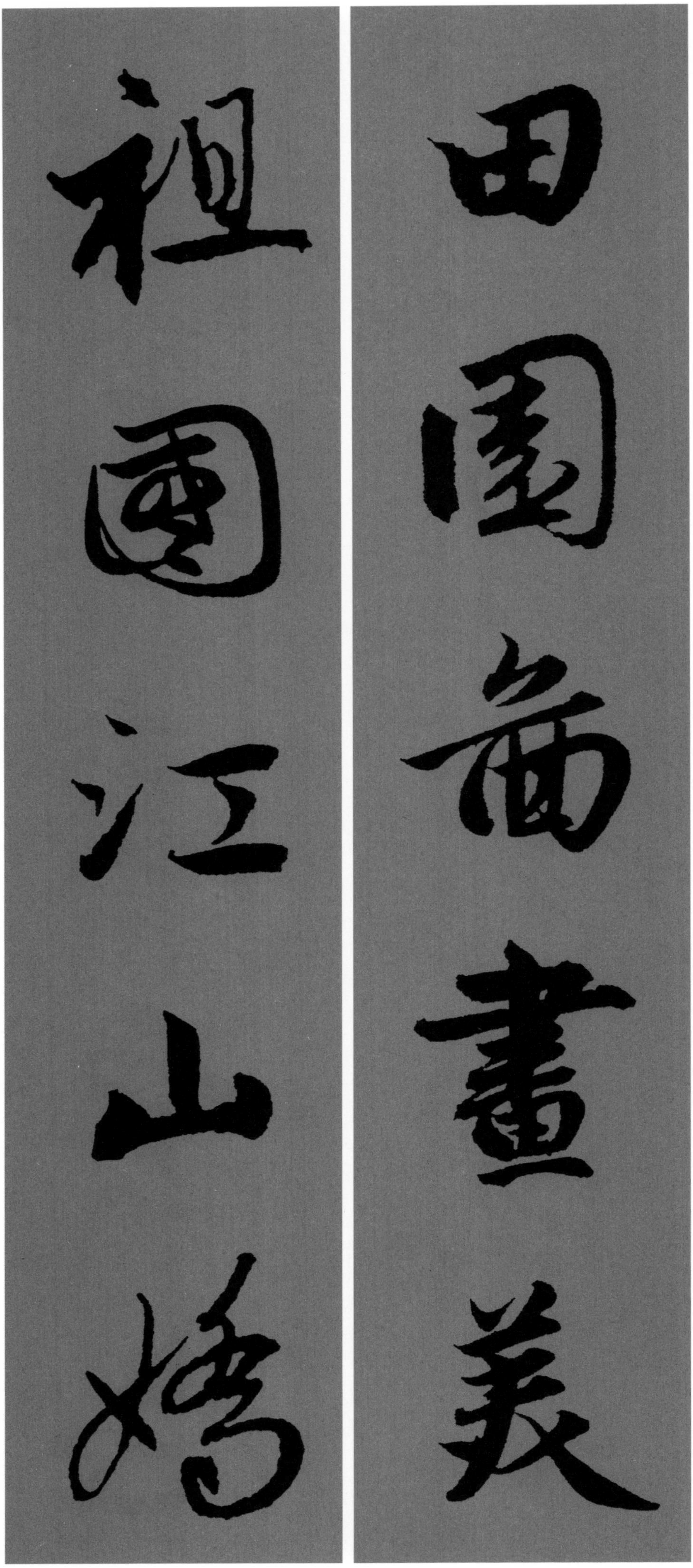

上联—田园图画美
下联—祖国江山娇

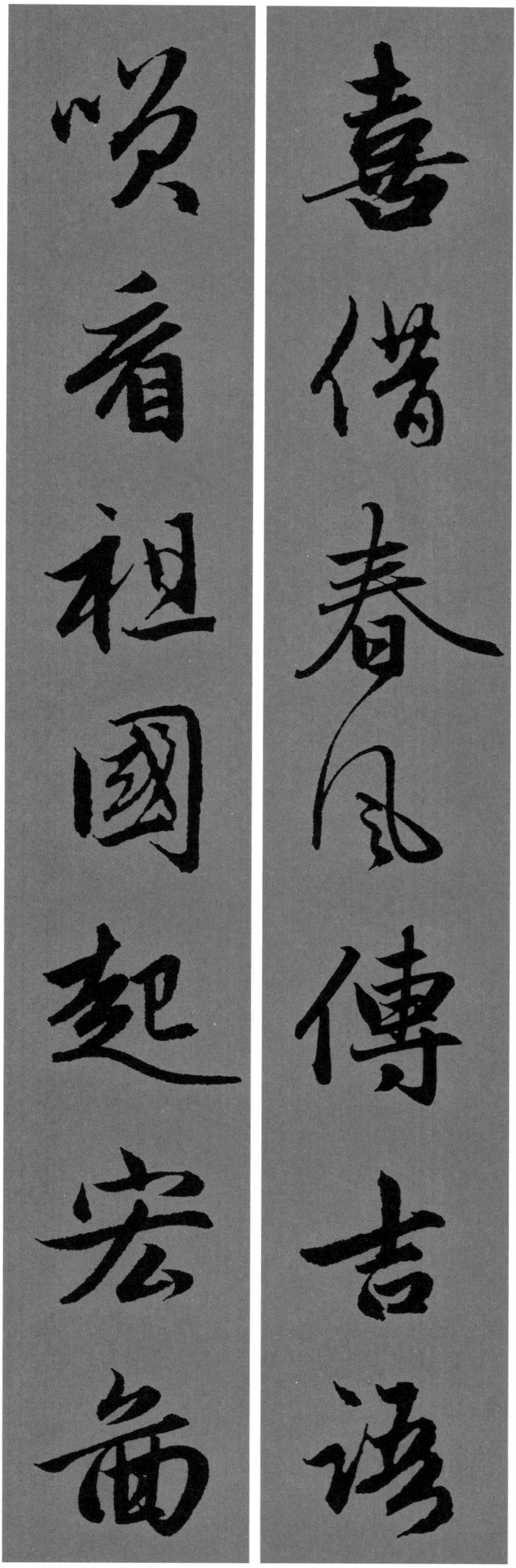

上联—喜借春风传吉语
下联—笑看祖国起宏图

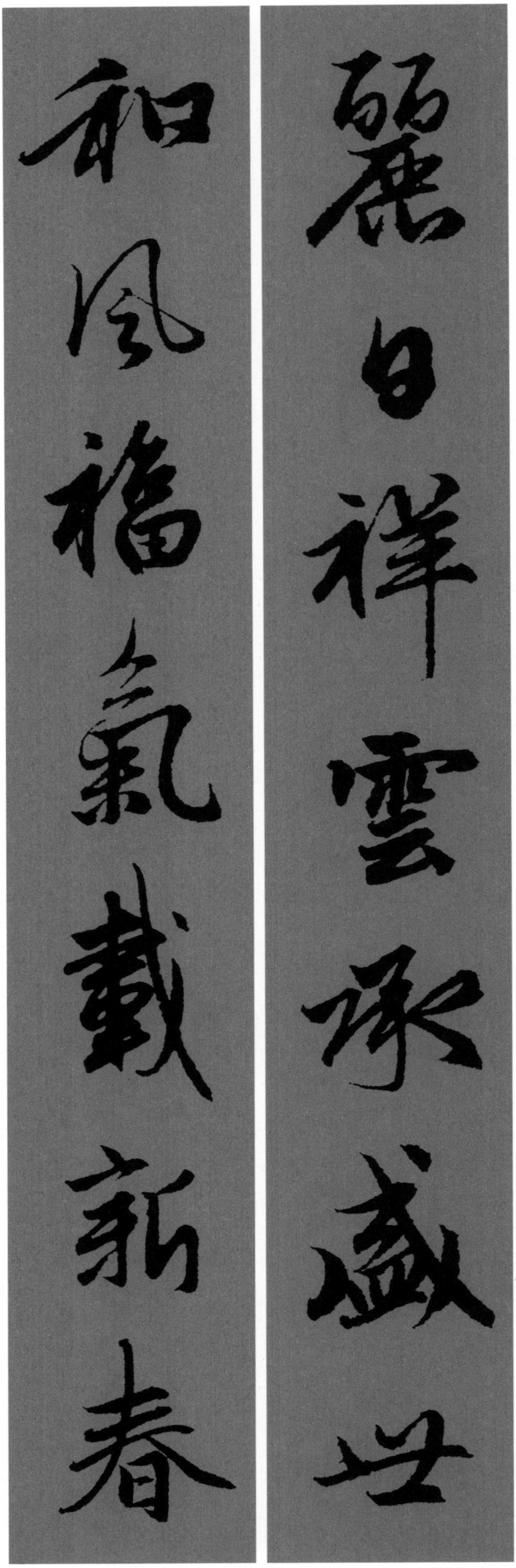
麗日祥雲承盛世
和風福氣載新春

上联一丽日祥云承盛世
下联一和风福气载新春

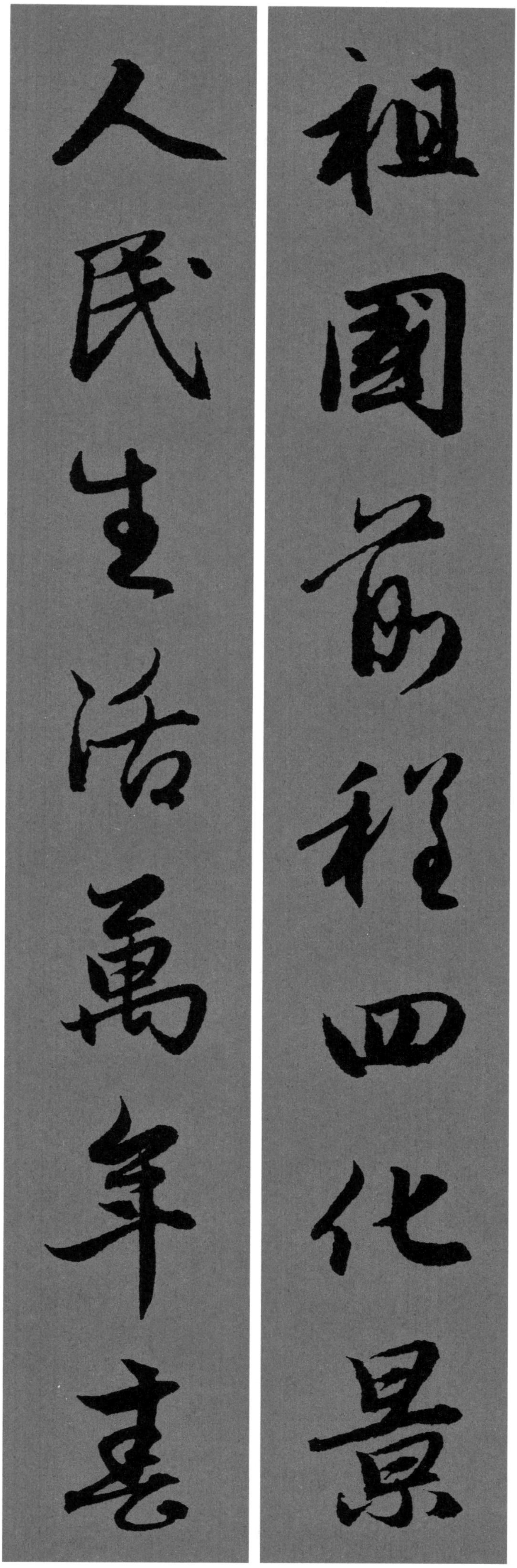

上联一 祖国前程四化景
下联一 人民生活万年春

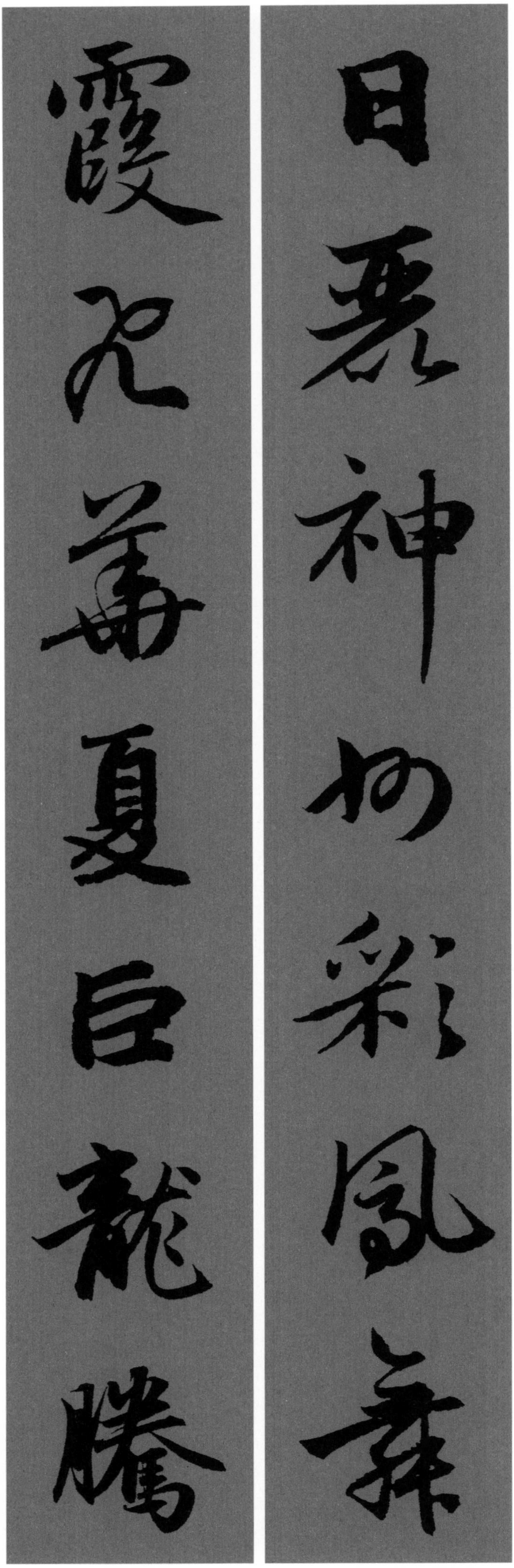

上联—日丽神州彩凤舞
下联—霞飞华夏巨龙腾

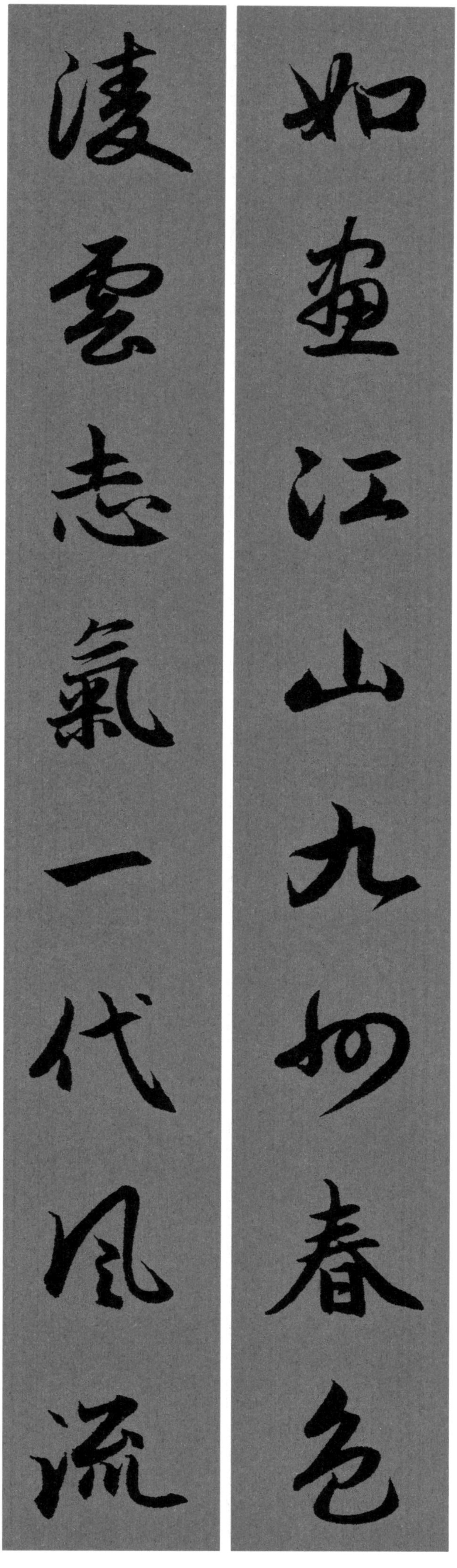

上联 — 如画江山九州春色
下联 — 凌云志气一代风流

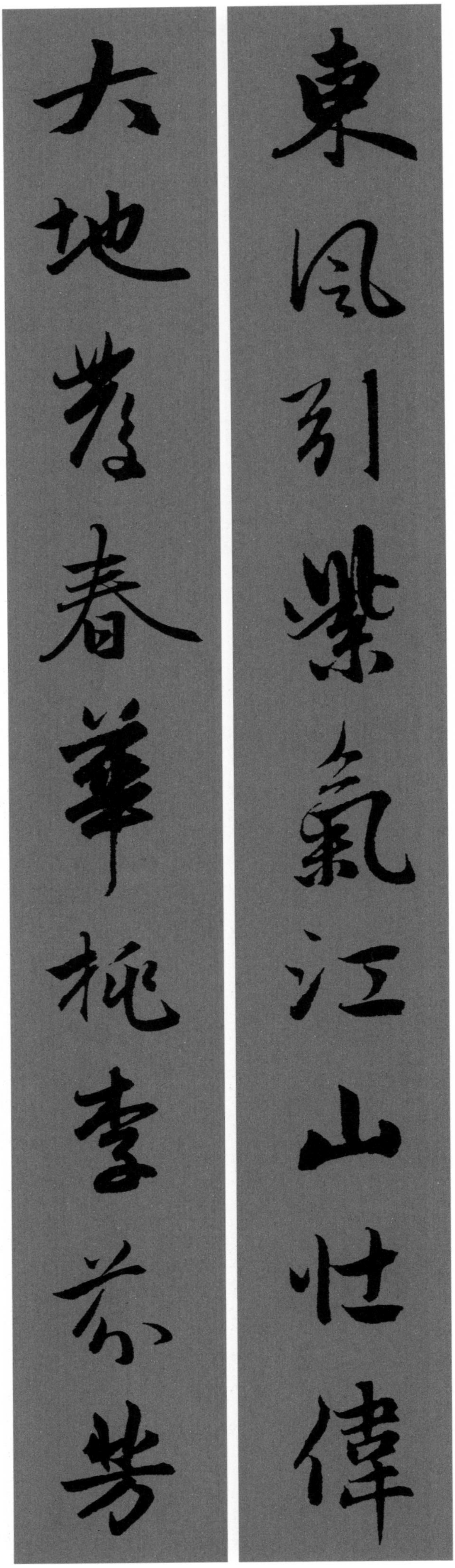

上联—东风引紫气江山壮伟
下联—大地发春华桃李芬芳

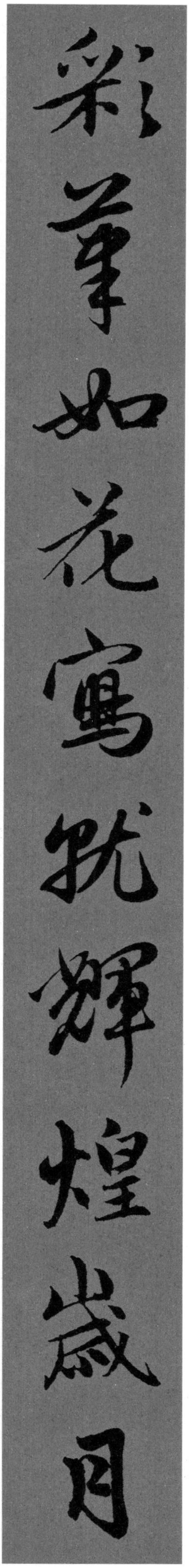

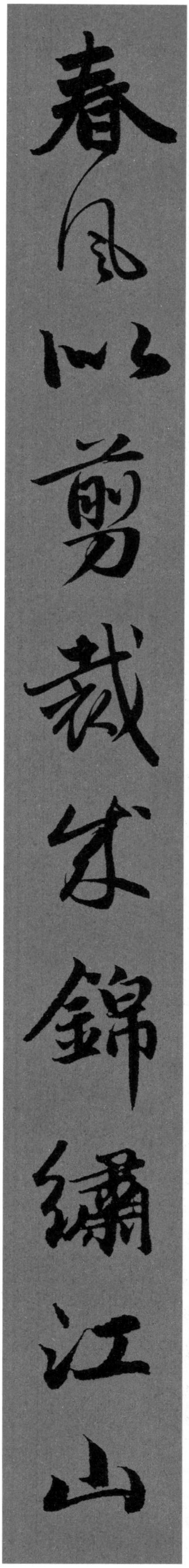

上联——彩笔如花写就辉煌岁月

下联——春风似剪裁成锦绣江山

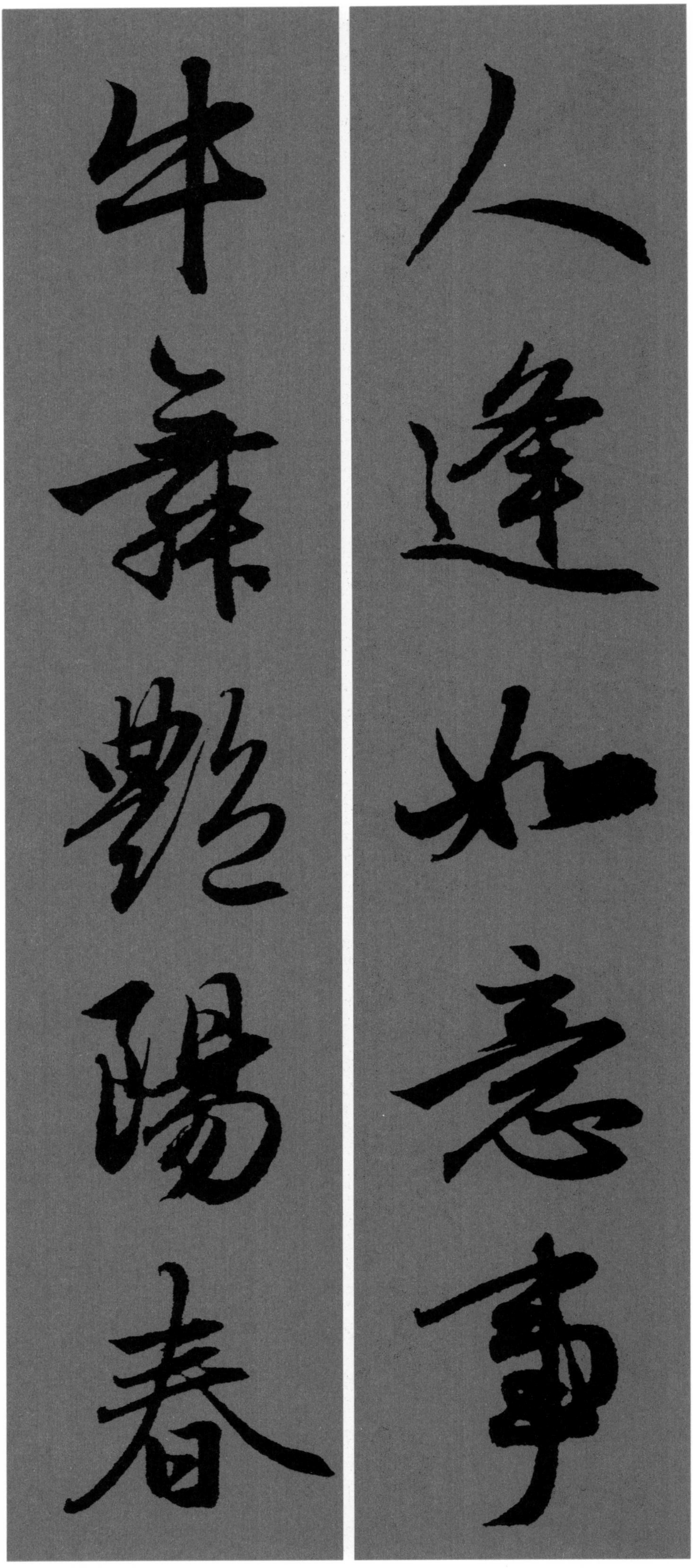

上联一人逢如意事
下联一牛舞艳阳春

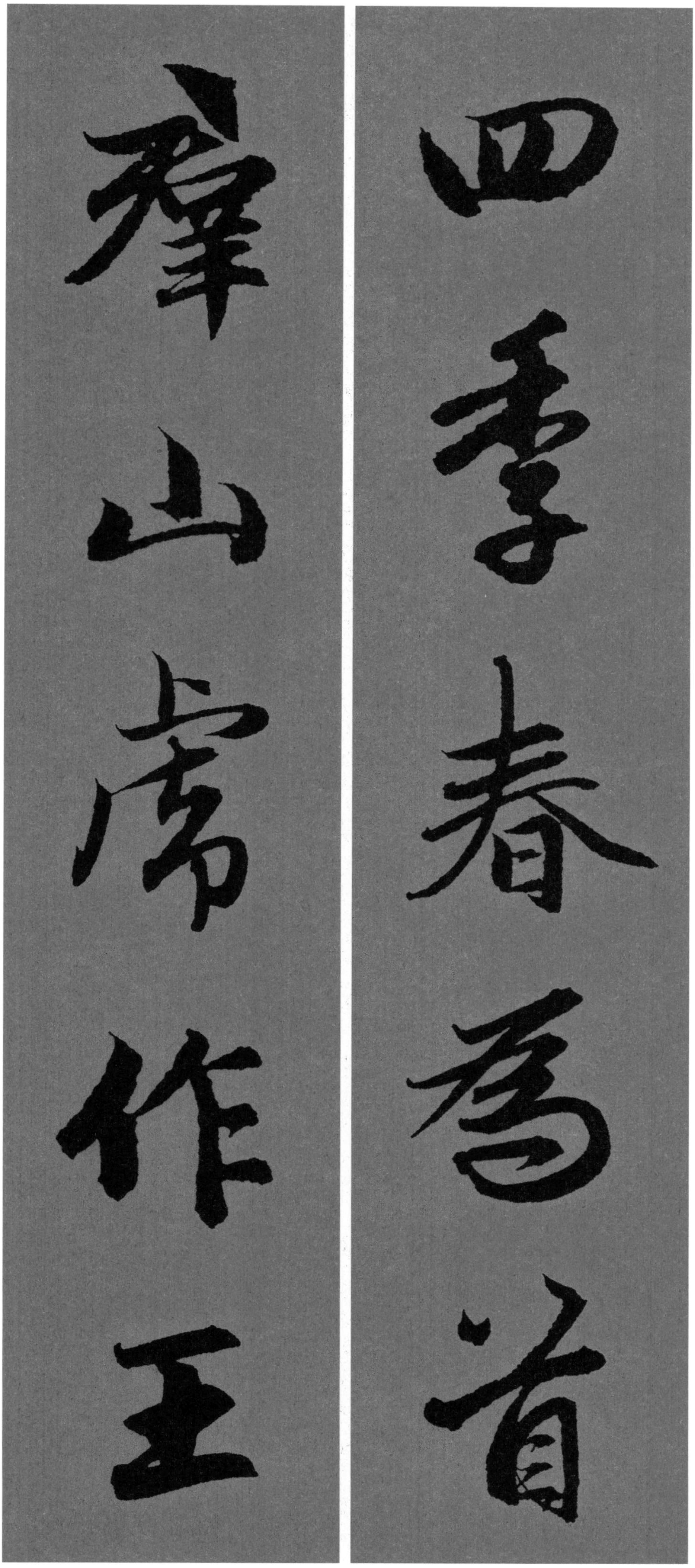

上联　四季春为首
下联　群山虎作王

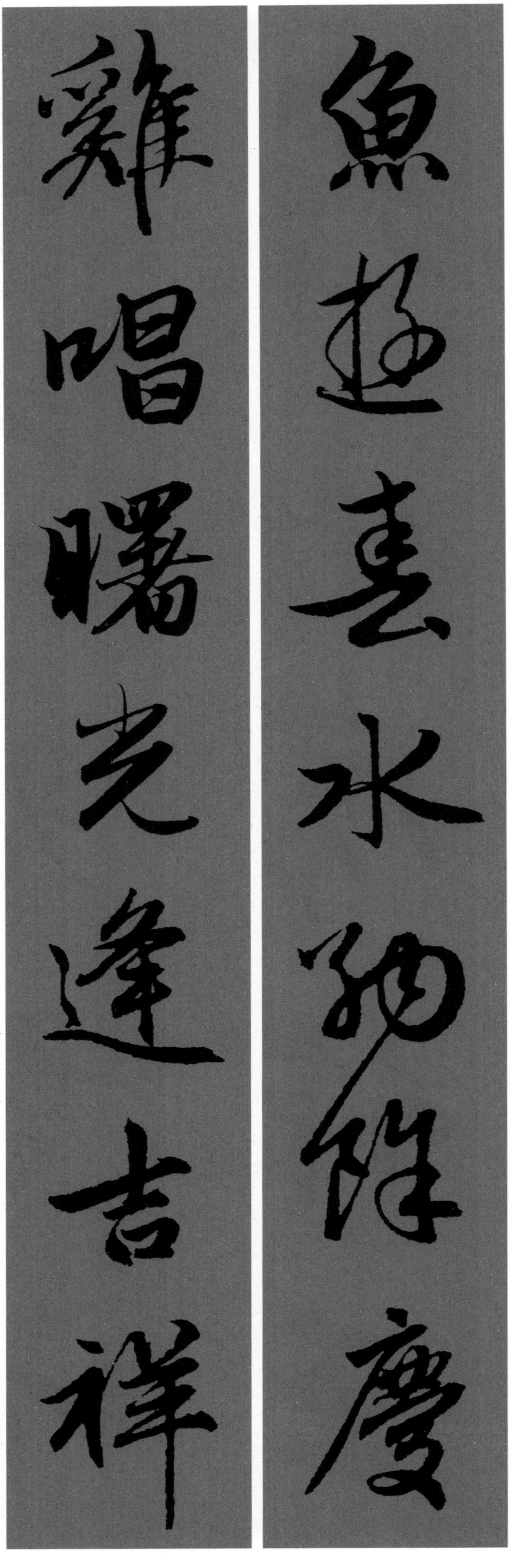

上联—鱼游春水纳余庆
下联—鸡唱曙光逢吉祥

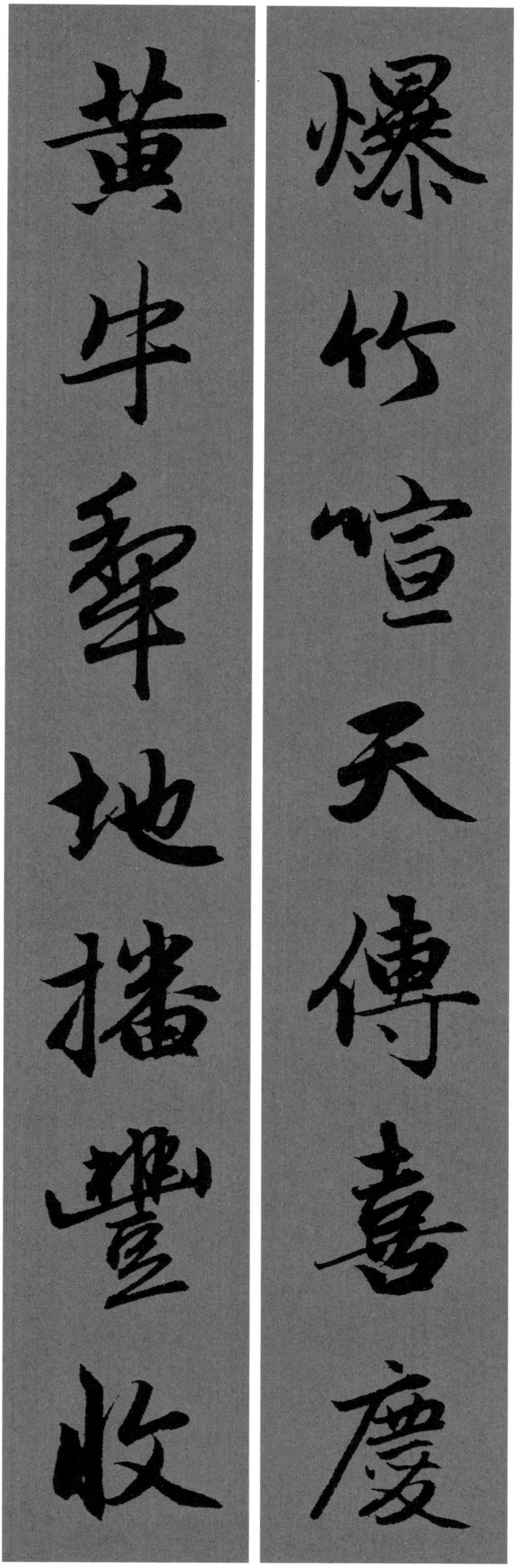

上联——爆竹喧天传喜庆
下联——黄牛犁地播丰收

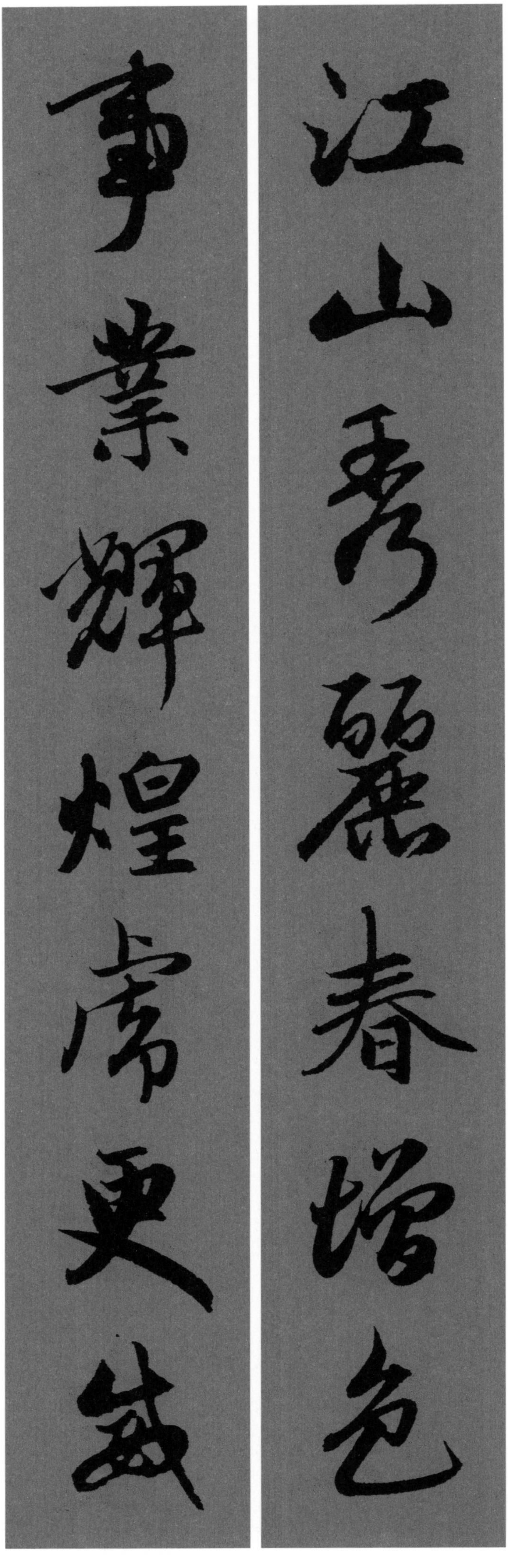

上联—江山秀丽春增色
下联—事业辉煌虎更威

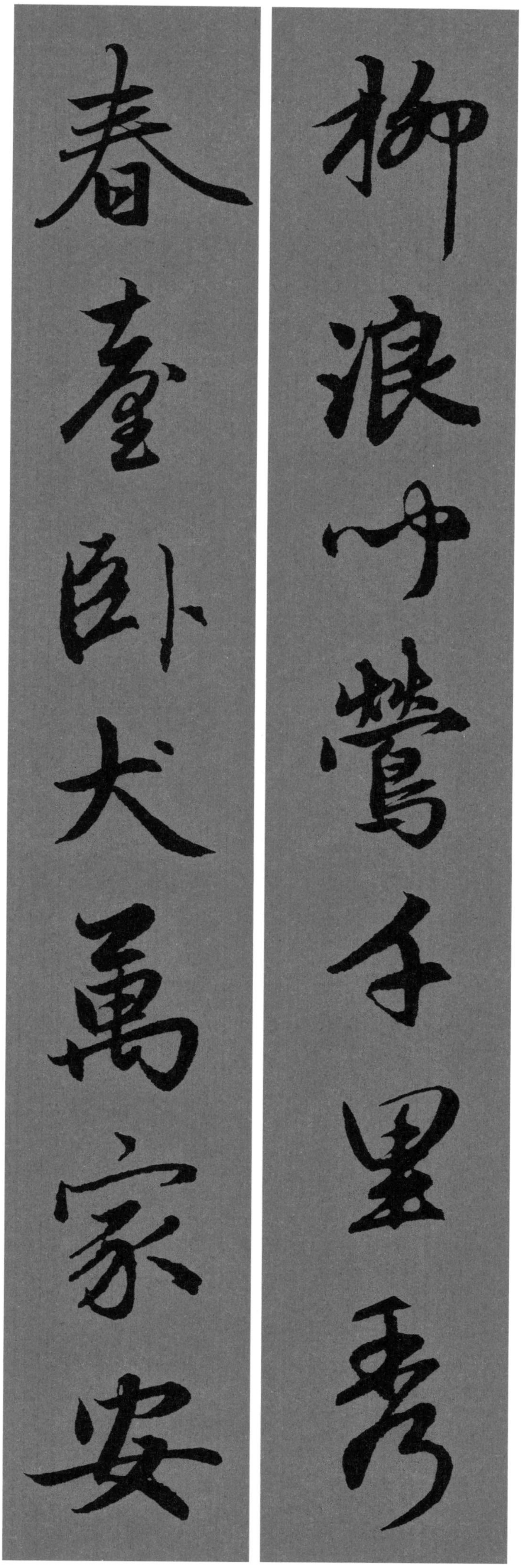

上联— 柳浪闻莺千里秀
下联— 春台卧犬万家安

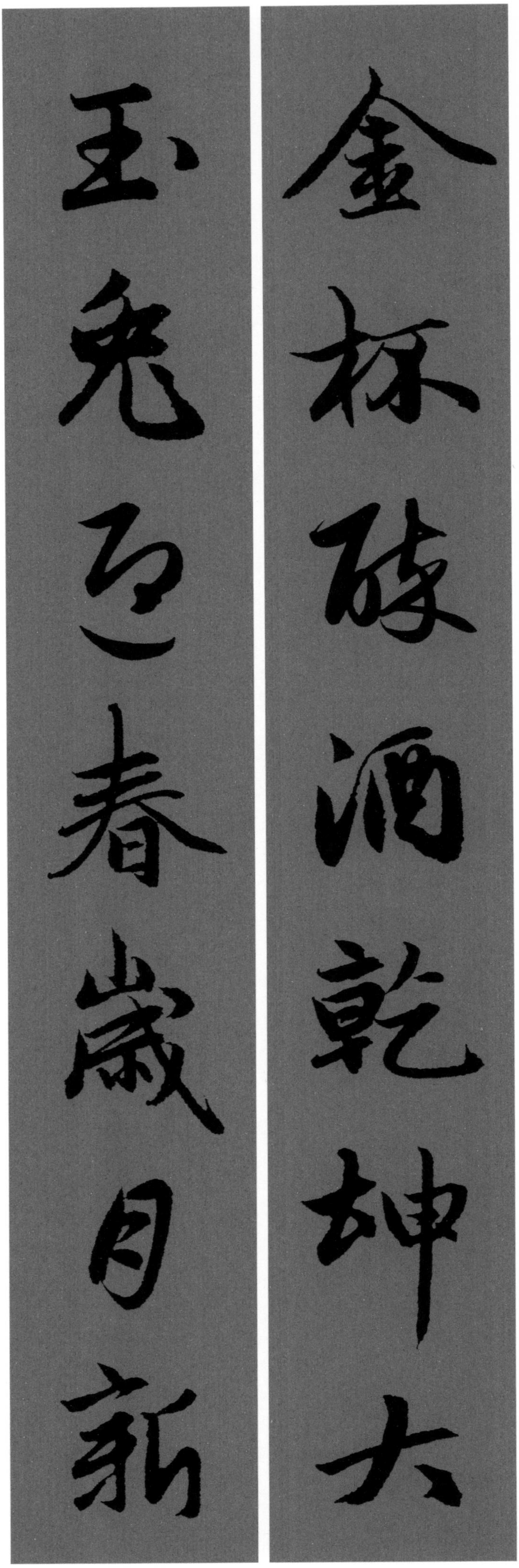

上联—金杯醉酒乾坤大
下联—玉兔迎春岁月新

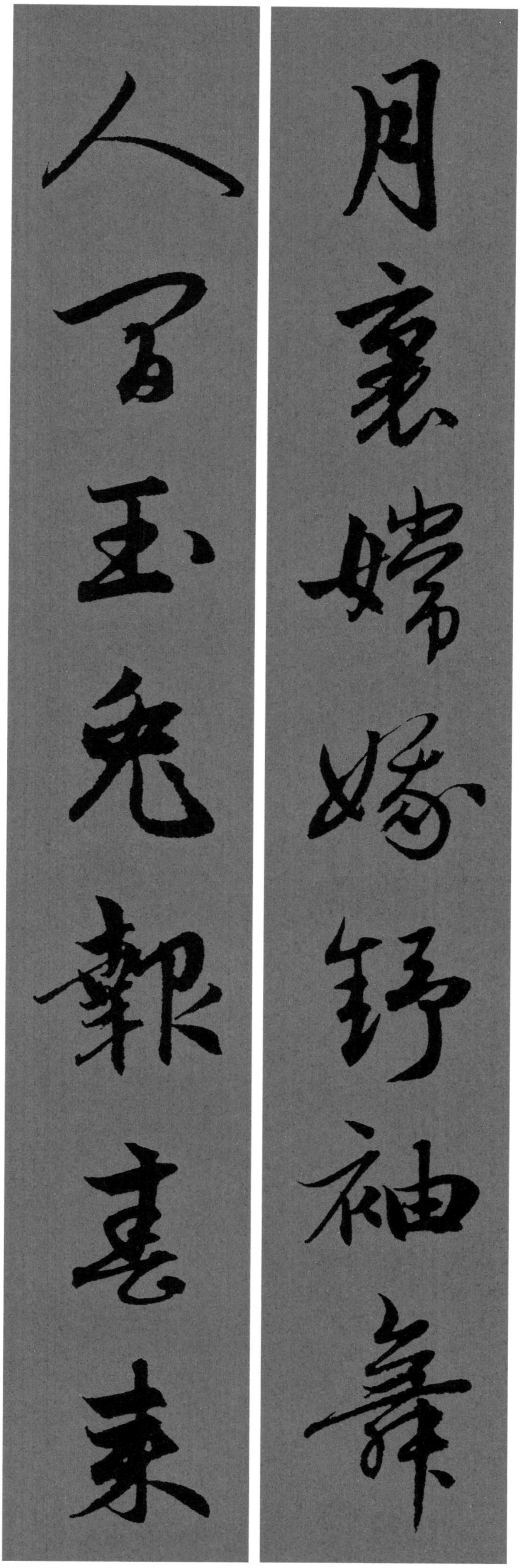

上联——月里嫦娥舒袖舞
下联——人间玉兔报春来

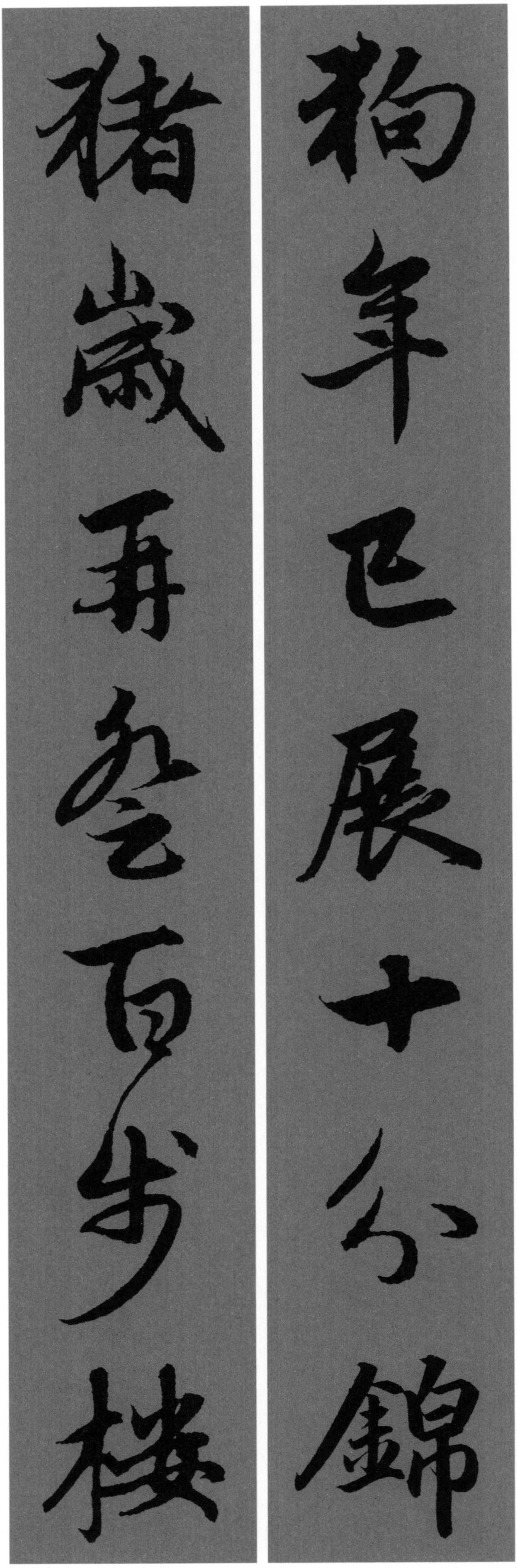

上联——狗年已展十分锦
下联——猪岁再登百步楼

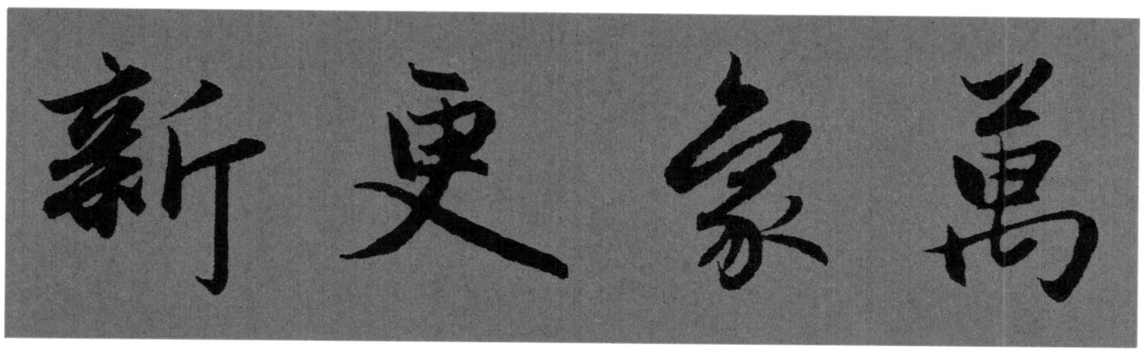

横披｜ 万象更新

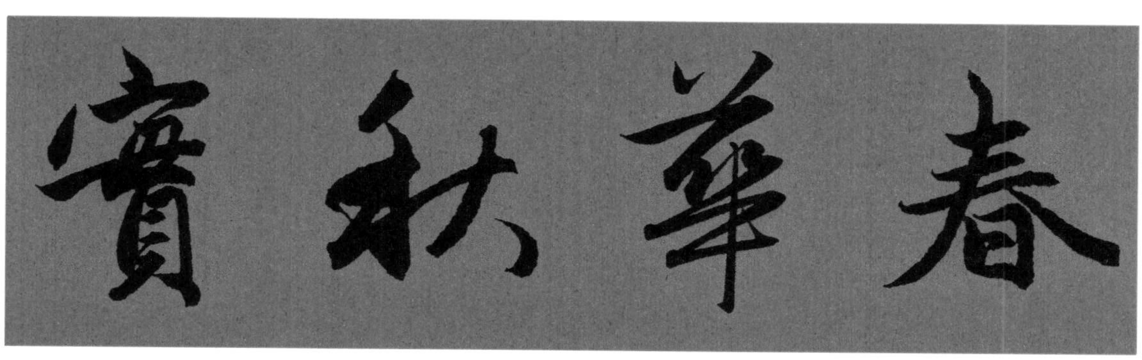

横披｜ 春华秋实

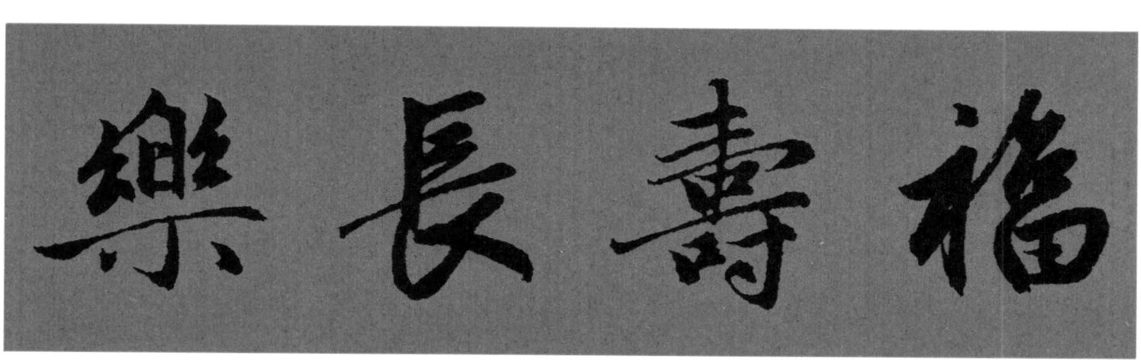

横披｜ 福寿长乐

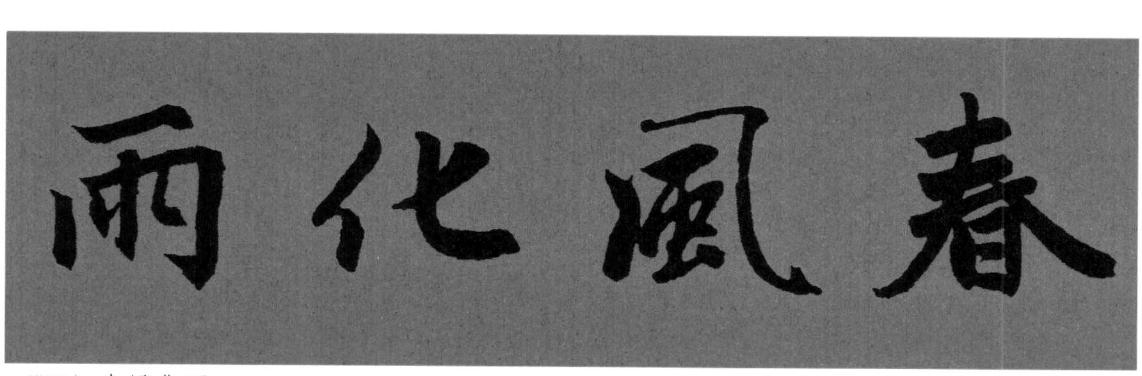

横披｜ 春风化雨

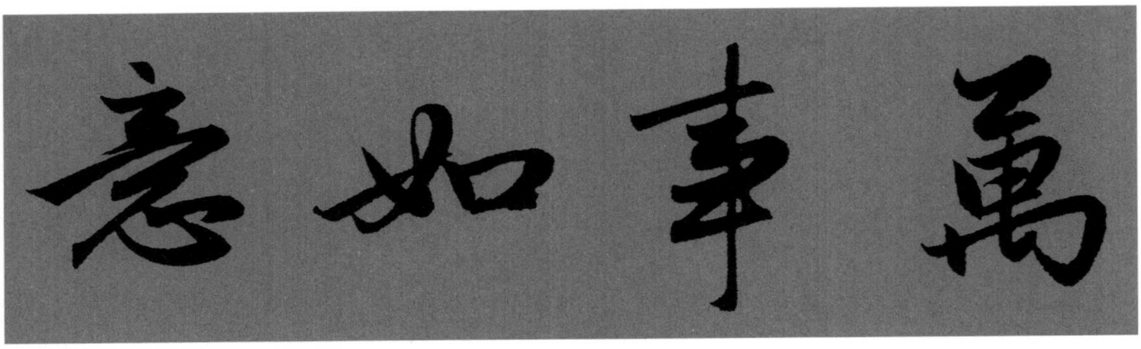

横披｜ 万事如意

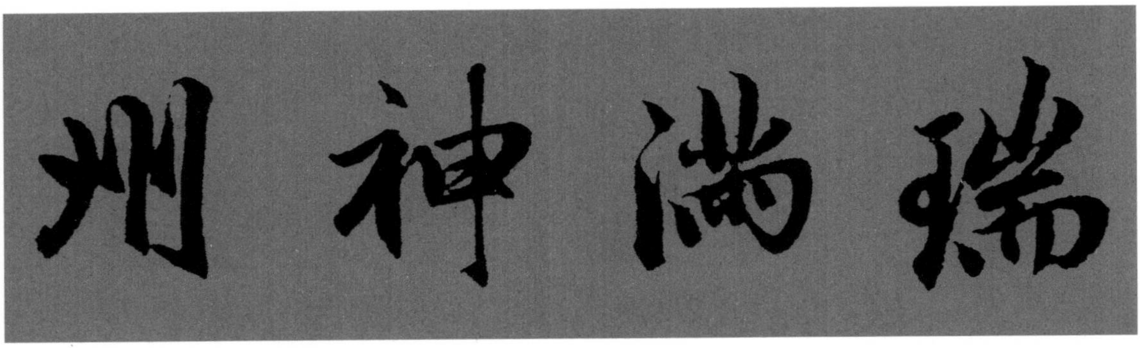

横披｜ 瑞满神州

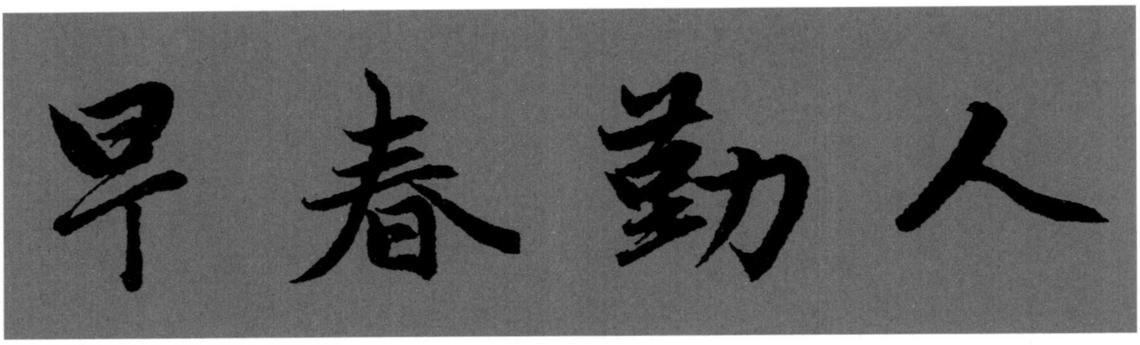

横披｜ 人勤春早

小贴士

通用——万象更新、春迎四海、一元复始、春满人间、万象呈辉、瑞气盈门、万事如意；
丰收——五谷丰登、风调雨顺、时和岁丰、物阜民康、雪兆年丰、春华秋实、吉庆有余；
福寿——福乐长寿、五福齐至、紫气东来、寿山福海、益寿延年、福缘善庆、福寿康宁；
文化——惠风和畅、千祥云集、鸟语花香、日月生辉、瑞气氤氲、正气盈门、江山如画；
行业——百花齐放、业精于勤、业广惟勤、万事如意、千秋大业；
爱国——振兴中华、江山多娇、大好河山、气壮山河、瑞满神州、祖国长春；
生肖——闻鸡起舞、灵猴献瑞、龙腾虎跃、龙兴华夏、万马争春。

图书在版编目(CIP)数据

赵孟頫行书集字春联/程峰编. --上海:上海书画出版社,2016.12

(春联挥毫必备)

ISBN 978-7-5479-1374-1

Ⅰ. ①赵… Ⅱ. ①程… Ⅲ. ①行书-法帖-中国-元代

Ⅳ. ①J292.25

中国版本图书馆CIP数据核字(2016)第288066号

赵孟頫行书集字春联

春联挥毫必备

程峰　编

责任编辑　张恒烟

审　　读　雍　琦

责任校对　郭晓霞

技术编辑　包赛明

出版发行　上海世纪出版集团　上海书画出版社

地址　上海市延安西路593号　200050

网址　www.ewen.co

www.shshuhua.com

E-mail　shcpph@163.com

制版　上海文高文化发展有限公司

印刷　浙江海虹彩色印务有限公司

经销　各地新华书店

开本　787×1092　1/12

印张　7

版次　2016年12月第1版　2020年11月第8次印刷

印数　27,601-30,900

书号　**ISBN 978-7-5479-1374-1**

定价　**28.00元**

若有印刷、装订质量问题，请与承印厂联系